TADASHI KADOMOTO

MEU LIVRO DA
Consciência

365 mensagens para nossas boas escolhas de cada dia

USE ESTE LIVRO COMO UM GRANDE AMIGO E PARCEIRO
PARA AJUDÁ-LO A EXPERIMENTAR GRANDES
TRANSFORMAÇÕES EM SUA VIDA!

Diretora
Rosely Boschini

Gerente Editorial
Carolina Rocha

Assistente Editorial
Juliana Cury Rodrigues

Controle de Produção
Karina Groschitz

Preparação
Abordagem Editorial

Projeto Gráfico e Diagramação
Nicolli Ferreira

Revisão
Vero Verbo Serviços Editoriais

Capa
Juliana Ida

Copyright © 2017 by Tadashi Kadomoto

Todos os direitos desta edição são reservados à Editora Gente.
R. Dep. Lacerda Franco, 300 – Pinheiros
São Paulo, SP – CEP 05418-000
Telefone: (11) 3670-2500
Site: www.editoragente.com.br
E-mail: gente@editoragente.com.br

Este livro foi impresso pelo Centro Paulus de Produção em papel offset 90g em novembro de 2024.

Dados Internacionais de Catalogação na Publicação (CIP)
Angélica Ilacqua CRB-8/7057

Kadomoto, Tadashi
　Meu livro da Consciência : 365 mensagens para nossas boas escolhas de cada dia / Tadashi Kadomoto. - São Paulo: Gente, 2017.
　400 p.

ISBN 978-85-452-0212-7

1. Autorrealização (Psicologia) 2. Sucesso 3. Autoajuda 4. Inspiração I. Título

17-1255　　　　　　　　　　　　　　　　　　　　　　　　　　　　CDD 158.1

Índice para catálogo sistemático:
1. Mensagens : Sucesso

JANEIRO

1 DE JANEIRO

PEGUE AS ONDAS DA VIDA

Nesta vida, nada é eterno. Tudo está em movimento, rumo à evolução. E o que cada um de nós deve buscar é a conscientização do aprendizado em cada etapa da vida. Por maior que tenha sido uma dor, ou por mais triste que tenha sido uma situação, tire desses processos o aprendizado. Fique apenas com isso. E comece este ano com coragem, alegria e vontade de aprender cada vez mais.

Pense no movimento das ondas que vêm e vão, num processo contínuo de mudança. Uma onda não é igual à outra. Pegue as ondas que a vida trouxer para você. Não as deixe passar!

2 DE JANEIRO

VOCÊ É O LÍDER DA SUA EXISTÊNCIA

Se você não fizer algo por si mesmo, ninguém o fará. Afinal, você é a pessoa mais mais capacitada para solucionar os problemas que surgem em seu caminho, pois é quem mais conhece o que está em sua alma.

Você sabe que não pode depender dos outros para mudar o que está errado em sua vida. Só você pode tomar a iniciativa de virar a mesa.

A hora é agora. Não espere mais. Saia da zona de conforto, vença a baixa autoestima, a insegurança e a tristeza. Se há algo dentro de você que não está bom, é sinal de que é preciso entrar em contato com a essência e achar o ponto de ignição da sua alegria e felicidade.

3 DE JANEIRO

CREIA NUM MUNDO MELHOR. COMECE POR VOCÊ!

Eu acredito que é possível viver num mundo melhor; mas sei que antes de mudar o mundo exterior é preciso promover uma transformação no seu mundo interior. Comece a transformação dentro de você e leve-a para o mundo exterior. Coloque na sua vida o que deseja para o mundo: amor, paz, harmonia, compreensão, respeito. Se cada um cuidar do seu jardim, o mundo terá mais flores. Esse poder está em cada um de nós.

4 DE JANEIRO

CUIDADO COM A AUTOSSABOTAGEM

Há estudos que mostram que temos cerca de 50 mil pensamentos por dia! Boa parte deles serve para justificar as coisas que deixamos de fazer, tudo o que não deu certo. O ser humano tem uma capacidade incrível de produzir justificativas convincentes para tudo. E elas servem especialmente para convencer a si mesmo.

O que as pessoas fazem é construir uma parede invisível, que limita suas conquistas. Como se algo ou alguém externo impedisse seu sucesso ou sua felicidade.

Na verdade, esse é um processo de autossabotagem. E ele começa na sua mente.

Pare para pensar: por que você não permite que certas coisas boas aconteçam na sua vida? Tomar consciência é o primeiro passo para conter a autossabotagem.

5 DE JANEIRO

JÁ ESCUTOU SUA VOZ INTERIOR HOJE?

Muitas pessoas sentem dificuldade em meditar. Contudo, há diversas formas de desenvolver a capacidade de ouvir sua voz interior. O simples ato de sentar em um jardim e admirar a natureza já é um exercício meditativo. O mais importante é ficar em silêncio. Você se surpreenderá com as respostas que alguns momentos de quietude trarão. É preciso calar e acalmar nossas emoções para que a voz interior se manifeste.

6 DE JANEIRO

VIVA NO AMOR E NA ESPIRITUALIDADE

Se me perguntar quais são os caminhos que podem curar e colocar você na direção certa do sucesso e da felicidade, eu direi: o amor e a espiritualidade.

Para viver no amor você precisa desenvolver as capacidades de aceitação e compreensão, sabendo que tudo o que nos acontece são escolhas da nossa alma. Portanto, olhe carinhosamente para tudo o que lhe acontece, até para os momentos ruins. Isso é amar incondicionalmente.

Para viver na espiritualidade, você precisa transformar o sentido da sua vida, saindo do "ter" para viver o "ser". Mesmo continuando a ganhar dinheiro e a viver no conforto, a sua existência se torna muito mais plena quando você sabe que Deus existe e que não depende de bens materiais para ser feliz.

7 DE JANEIRO

ESCOLHA A ALEGRIA

"É melhor ser alegre que ser triste", cantava Vinicius de Moraes. A energia da alegria é contagiante e impulsiona. Por isso, contagie a todos com a sua alegria, sem ter medo de parecer maluco ou ridículo.

Encarar a vida com alegria é a melhor maneira de ter mais saúde, atrair amizades e, quem sabe, um grande amor. Afinal, o sorriso é um canal de conexão entre as pessoas. Desarme-se e deixe a vida acontecer!

8 DE JANEIRO

TRANSFORME A RAIVA PARA O BEM

Não é fácil admitir que estamos alimentando o sentimento de raiva. No entanto, é fácil identificar quando ele está nos dominando. Impaciência e nervosismo são nada mais do que raiva concentrada, uma bomba prestes a explodir.
E o que fazer com isso sem causar estrago e dor na vida das pessoas?
Canalize a energia da raiva a seu favor. Faça com que ela seja o impulso que faltava para você ir com vontade na direção de uma conquista. Transforme a raiva em garra e anule o poder negativo que ela tem.

9 DE JANEIRO

USE A CRIATIVIDADE!

Todos nós temos sonhos e desejos para o futuro. Trabalhamos para conquistar muitos deles. Entretanto, além de batalhar e planejar para fazer com que eles aconteçam, conte também com uma aliada muito poderosa: a imaginação criativa. Ela tem o poder de acelerar as suas realizações.

Visualize o que deseja como se fosse um filme passando na sua cabeça. Esse exercício pode ser feito de olhos abertos ou fechados, não importa. O mais importante é que sua imaginação criativa seja o seu guia.

Sinta como se estivesse vivenciando a situação. Perceba a alegria de ter conquistado aquilo, visualize as cores, o cheiro, as pessoas que estarão com você. Você quer uma nova casa? Imagine os detalhes.

A força da mente é muito maior do que podemos supor. Não abra mão dela.

10 DE JANEIRO

TUDO ESTÁ EM MOVIMENTO

Se você estiver alinhado com sua essência e com o Universo, vai perceber que a natureza nos ensina o tempo todo. Por exemplo, uma árvore florida na primavera, logo fica despida no outono. A beleza transforma-se em feiura, a juventude transforma-se em velhice e o erro transforma-se em virtude.
Isso comprova a impermanência de tudo nesta vida.
Nada fica sempre igual, tudo muda. As aparências e o vazio existem simultaneamente.

11 DE JANEIRO

SINTA A LIBERDADE

"Não somos seres humanos tendo uma experiência espiritual, mas sim seres espirituais tendo uma experiência humana" (Teilhard de Chardin). Essa forma de nos colocar perante a vida pode nos tornar seres mais livres.
Livres dos nossos temores, das incertezas, do medo da morte, dos nossos apegos.
Como seres espirituais que têm uma experiência humana, chegará o momento em que nos conscientizaremos de que somos um canal de conexão entre o céu e a terra. Quando nos damos conta disso, o sentimento de liberdade aflora e nos sentimos mais fortes para seguir em nossas conquistas.

12 DE JANEIRO

ASSUMA O SEU PODER PESSOAL

A grande verdade é que a maioria das pessoas não sabe usar a força que tem dentro de si para construir a vida que sempre desejou. Elas não sabem que têm um poder escondido nelas capaz de movimentar tudo e criar a realidade com a qual sempre sonharam. Não acreditam em si mesmas e que tudo o que acontece — para o bem ou para o mal — é responsabilidade delas. Portanto, deixam seu poder pessoal sem dono.

Quando nos responsabilizarmos por nós mesmos na totalidade — por nossos fracassos e por nossos sucessos, pelos motivos que temos para ser felizes ou tristes —, passaremos a viver um processo de cura interior.

Ter responsabilidade é tomar posse do seu poder pessoal.

13 DE JANEIRO

CRIE O BEM PARA TER O BEM

Já parou para pensar que a vida lhe devolve aquilo que você oferece a ela? Se você oferece estresse, cansaço, desânimo, descrença, é isso que ganhará em troca.

Se você vive com aquela sensação de que nada dá certo para você, tire da cabeça a ideia de que está sendo um alvo de perseguição do Universo ou que você está fadado a ter uma existência infeliz e cheia de tropeços.

É sua postura que definirá a sua sorte neste mundo. Quando retomar o seu eixo e passar a criar mais atitudes de generosidade e amor em sua vida, entenderá que precisa dar para receber. O mundo vai girar a seu favor. Vai parecer mágica, mas não é. É você entrando no fluxo virtuoso da vida.

14 DE JANEIRO

TENHA FOCO

Já parou para pensar no que você quer da vida?
Provou aquela sensação de ter a cabeça fervilhando de vontades e desejos, mas, na prática, sua vida continuar na estaca zero, como se estivesse travada?
Às vezes, queremos tantas coisas que nos perdemos e não colocamos a energia necessária para alcançar nenhuma delas.
Há grandes chances de seus projetos estarem parados por falta de foco. Quero lhe propor hoje o desafio de escolher, entre tantos desejos e tantas prioridades, aquilo que considera o mais importante. Uma dica: pegue papel e caneta e faça uma lista. Procure nela aquilo que precisa acontecer primeiro para que os demais desejos se realizem.
Sempre há um problema que é a base de todos os demais. Se conseguir identificá-lo e resolvê-lo, será como achar o fio para desatar o emaranhado de nós que estão em sua vida.

15 DE JANEIRO

CALIBRE O SEU OLHAR

Muitas pessoas vivem assustadas com as dificuldades e desistem de superá-las antes mesmo de tentar.

Elas se deixam abalar pelo medo de ter de lidar com os problemas e, mesmo que sua vida não esteja satisfatória hoje, não fazem nada para mudar a realidade porque não querem "arrumar mais problema para a cabeça".

Você está se sentindo assim? Quero convidá-lo então a calibrar seu olhar. O seu olhar precisa se voltar para a solução e não para o problema.

Muitas pessoas bem-sucedidas hoje tiveram de enfrentar muitos problemas até chegar onde estão. A diferença entre elas e aquelas que se sentem fracassadas é o olhar. Quem olha os problemas, amedronta-se e desiste. Quem olha a meta e enxerga quanta coisa boa virá com ela, segue em frente e torna os problemas menores, como realmente são, e deixa para trás aquela visão de dificuldades.

16 DE JANEIRO

SONHE ANTES DE DORMIR

Quando se deitar na cama esta noite para dormir, pense em seu sonho. Trace mentalmente o caminho de tudo o que precisa fazer para que ele se realize. Deixe a sua imaginação fluir e se permita ter a sensação de que chegou lá. Enfim, seu sonho se tornou realidade! Essa satisfação deve envolver todo o seu ser. Vivencie isso com intensidade.

Depois, aproveitando essa sensação de bem-estar, refaça o caminho até o seu sonho, pensando em um modo de tornar sua trajetória mais fácil. Imagine-se cumprindo cada uma das etapas com alegria.

Adormeça feliz e confiante.

Todo esse processo ficará em seu subconsciente e o ajudará a focar suas metas, além de alimentar a certeza de que o seu sonho vai mesmo se concretizar.

17 DE JANEIRO

CUIDE DO QUE VOCÊ DIZ (E ACREDITA)

Um dia, fazendo churrasco com um vizinho, papo vai, papo vem, perguntei a ele: "E aí, amigo, como vai a vida?". Ele me contou que estava num ótimo momento. O filho tinha passado na faculdade. A construção da casa da praia tinha sido concluída. Ele e a mulher estavam vivendo felizes. E então finalizou: "Se melhorar, estraga.".
Voltei-me para ele e disse: "Como assim, se melhorar estraga? Cuidado com as suas palavras, porque elas são reflexo do que você acredita.".
Ele me olhou meio ressabiado. Afinal, o que havia dito de errado?
Quando tudo vai bem, temos o hábito de jogar um balde de água fria em nossa vida e, em vez de vivenciar cada vez mais alegrias, voltamo-nos para os problemas. Se melhorar estraga? Não! Se melhorar, melhora! Fica bem melhor!

18 DE JANEIRO

SEU PAPEL COMO PAI E MÃE

Uma criança se enxerga pelos olhos dos pais e constrói uma visão sobre si mesma com a ajuda deles. Ela pode crescer com uma autoestima fortalecida ou enfraquecida. Com coragem ou com medo da vida. Com autopermissão para ter sucesso ou com o fracasso batendo à sua porta.

Se desde pequena a criança ouve que é desorganizada e que nunca vai conquistar nada por ser assim, isso pode virar uma verdade em sua vida. Evite rótulos. Mostre que a desorganização não é boa e as razões pelas quais é preciso mudar, mas evite fazer com que a criança se aproprie daquela característica.

Se você é pai ou mãe, meu conselho é que analise as crenças que está passando para seu filho. Certamente, quanto menos crenças limitantes você tiver, menos passará para ele.

19 DE JANEIRO

DESENVOLVA O AUTOCONHECIMENTO

Já parou para pensar se você se conhece o suficiente? Será que você sabe o que lhe faz feliz, do que realmente gosta e quais são os seus grandes sonhos?

Pode parecer absurdo, mas muitas pessoas nunca pararam para pensar sobre isso! Talvez, lendo esta minha provocação, você também se dê conta de que não pensa sobre isso há muito tempo!

Quem não reflete sobre si mesmo, não se conhece bem. Consequentemente, tem mais chances de fazer más escolhas e cair na cilada de embarcar nos sonhos dos outros. Quando embarcamos no sonho alheio não vivemos a vida que nos faz verdadeiramente felizes. Vivemos para mostrar aos outros que somos felizes.

Busque seus verdadeiros anseios e passe a se sentir mais completo e pleno com suas conquistas.

20 DE JANEIRO

PARTA PARA A AÇÃO

Sonhar não é suficiente. Você tem de começar a mudar a realidade à sua volta. Não será possível ter a vida que você sempre quis sem agir, ficando à espera de um milagre divino.

Monte seu projeto de vida. Como espera estar daqui a cinco anos? E daqui a dez? Você pode realizar todos os seus sonhos, mas precisa se movimentar.

O poder do pensamento fará a parte dele se você fizer a sua. A vida que você quer precisa ser coerente com as suas atitudes. Arregace as mangas e ajude a si mesmo e aos outros.

Seja a luz que você quer ver em sua vida!

21 DE JANEIRO

VOCÊ PRECISA DECIDIR

Uma das maiores causas dos impasses que as pessoas vivem surge simplesmente porque elas não sabem o que querem, de fato, para si mesmas.

Sonhar é fácil; mas sonhar com o quê? Morar na praia ou morar na montanha? Montar um negócio próprio ou trabalhar como funcionário? Casar ou ficar solteiro? A vida oferece muitas opções. Você pode ser quem você quiser. Nasceu com todos os recursos para conquistar tudo o que deseja – todos nós nascemos. Só precisa se decidir.

E lembre-se de que até mesmo a atitude de não decidir e deixar para depois é uma decisão. Faça suas escolhas com o coração.

22 DE JANEIRO

PRATIQUE O DESAPEGO

Quantas coisas estão na sua vida hoje sem fazer o menor sentido? Falo daquilo que está guardado no fundo do armário, mas falo também de pessoas e situações que já não têm mais a ver com a pessoa que você quer ser, mas continuam ali, ocupando espaço.

Imagine que você não é mais feliz executando determinado trabalho, porém continua ali porque gosta de alguns colegas e não quer encarar a saudade que vai sentir. Imagine que você não queira mais manter aquele relacionamento amoroso, mas não sabe como vai fazer para preencher seus fins de semana sem ter alguém. Pratique o desapego. Se algo ou alguém não tem mais espaço na sua vida, abra espaço para o novo. Só assim a vida vai trazer a renovação e aquilo que você tanto espera.

23 DE JANEIRO

OLHE PARA TRÁS PARA CONTINUAR SEGUINDO EM FRENTE

Está sentindo sua fé abalada? Não tem mais certeza de que a sua vida pode ser melhor e seus planos podem se concretizar? Em vez de olhar para a frente, olhe para trás. Lembre-se de quando era jovem e dos sonhos que tinha. Certamente muitas das coisas que você desejava se tornaram realidade.

O seu poder de criação fez a sua realidade acontecer. Sua vontade de mudar e suas conquistas são a maior prova de que você é capaz de muito mais.

Não se deixe levar pela ideia de que você não pode mais. Você pode, sim, pode tudo! Sua missão, queira ou não, é evoluir.

Continue a buscar! Mais e mais! Não há limites para a felicidade.

24 DE JANEIRO

AGRADEÇA À SUA FAMÍLIA

O que é família? Família é um conjunto de pessoas que estão juntas por laços de amor.
Por um lado, é o seu apoio, seu amparo, para onde você recorre quando precisa ser abraçado e compreendido. Por outro, é a sua maior escola.
As pessoas que fazem parte da sua família não estão ali por acaso. Cada uma, com suas características, tem o que ensinar e o que aprender.
Procure encontrar em cada pessoa da sua família os motivos de conflito e faça com que eles se tornem os seus maiores aprendizados. Cabe-nos plantar a semente da paz e do amor, a começar por nossa casa, nossa família.
Exercitar o amor incondicional na sua família é o primeiro passo para ser alguém melhor.

25 DE JANEIRO

VALORIZE A FIDELIDADE

A fidelidade é um compromisso assumido por você e que todos os dias comprova a sua palavra.

Muitas vezes você será colocado à prova. No entanto, sempre tenha em mente que fez uma escolha por convicção. Faça com que as distrações sirvam para que você cuide ainda mais daquele pacto. Preste mais atenção no que precisa fazer para fortalecê-lo.

A felicidade se fortalece quando você coloca verdade e positividade no seu compromisso.

26 DE JANEIRO

PRATIQUE A EMPATIA

Colocar-se no lugar do outro é a melhor maneira de você tomar uma decisão que vai impactar a vida das pessoas. Nada como sentir na própria pele como aquelas palavras vão soar, como aquela atitude pode acalmar ou pode doer.

Molde sua ação com base naquilo que gostaria que fizessem com você. Imagine como você pode ser alguém melhor.

Ame ao próximo como a si mesmo.

27 DE JANEIRO

RESPIRE!

Vivemos hoje um dos grandes males da humanidade: a ansiedade. Ela tira o sono, impede-nos de prestar atenção no que estamos fazendo, causa palpitação, faz com que devoremos a comida de qualquer jeito...
Quando você estiver em estado de ansiedade, pare e comece a prestar atenção na sua respiração. Inspire e expire calmamente, sinta o ar entrar pelas narinas, encher o seu diafragma e depois sair do seu corpo lentamente. Feche os olhos por alguns instantes e concentre-se no movimento da sua respiração. Ao nascer, aprendemos a a respirar e vamos desaprendendo enquanto crescemos. Retome a atenção à respiração e aos poucos você vai sentir aquela sensação de sufoco se dissipar.

28 DE JANEIRO

DOE-SE POR INTEIRO

A vida individualista da atualidade nos ensina a ser autocentrados. Pessoas que só falam de si mesmas. Pessoas que só pensam nas próprias realizações, nos próprios prazeres.

Há quanto tempo você não se doa para alguém? Digo, doar tempo para escutar, para se interessar verdadeiramente pelo outro. Curtir a vitória do amigo sem que o sentimento de competitividade o domine. Doe-se mais e vai descobrir que precisa de muito menos do que acredita. Doe-se por inteiro.

29 DE JANEIRO

SEJA VOCÊ!

Muitas vezes vivemos rodeados de modelos a serem copiados. Como se existisse uma única maneira de se vestir, um único corpo aceitável, um único estilo de vida ideal. O tempo inteiro somos bombardeados por uma sensação de que somos inadequados, pois não nos parecemos com a blogueira da moda ou o homem bem-sucedido do momento. Não caia nessa cilada massacrante.
A diversidade é a graça do mundo. Como ele seria chato se todos pensassem da mesma forma e quisessem as mesmas coisas! Nossas impressões digitais são a prova de que cada um de nós tem as próprias características, e individualidade, e o segredo da felicidade é encontrar o que nos faz únicos.
Você é único, e a primeira pessoa que deve valorizar isso é você mesmo!

30 DE JANEIRO

CUIDE DO PLANETA

Somos todos responsáveis pela nossa casa maior, a Terra. Pare um momento para refletir: você já se deu conta do que estamos fazendo com o nosso planeta? Estamos nos matando. Matando o nosso *habitat*. Cada vez fica mais latente a preocupação que devemos ter com o que deixaremos para nossos filhos, nossos netos.

É ilusória a ideia de que pouco podemos fazer. Você pode começar reciclando o próprio lixo. Trocando o carro pela bicicleta. Só não dá mais para ficar de braços cruzados esperando o mundo se deteriorar, acreditando que não temos nada a ver com isso.

Cuidar da natureza é cuidar da própria vida!

31 DE JANEIRO

DEUS SÓ DIZ SIM

Existe um ditado indiano que diz: "Deus só sabe dizer a palavra sim". Se você vive reclamando e tem pensamentos como: "Tudo vai dar errado em minha vida", Deus vai responder sim. E é exatamente isso o que vai acontecer.

Conseguiu se dar conta do poder que tem em suas mãos? Só você é capaz de determinar o que vai acontecer em sua vida. Não basta desejar. Você precisa sentir com toda a sua verdade que o melhor vai acontecer.

Comece transformando seus pensamentos. Um dia de cada vez. Substitua um pensamento ruim por um pensamento bom.

Resista ao pessimismo, mesmo que ao seu redor exista uma onda de derrotismo.

Coloque em seus pensamentos o que pode acontecer de melhor. E Deus dirá "Sim".

FEVEREIRO

1 DE FEVEREIRO

NÃO TENHA MEDO

Uma decisão pode mudar seu destino para sempre. Então, por que muitas pessoas não tomam as decisões que precisam tomar? Por medo. Medo do novo, da crítica, do julgamento. Quando o medo bater à sua porta, volte para a racionalidade, não se deixe levar por ele. Tome as três atitudes a seguir.
1. Faça uma lista de perdas e ganhos de cada decisão. A lista ajudará a acabar com as dúvidas, diminuirá a voz da insegurança e facilitará a ação.
2. Coloque-se em primeiro lugar! Não se deixe consumir por questionamentos sobre o que os outros vão pensar. Veja qual impacto essa decisão terá em **sua** vida.
3. Entre as opções, reflita, o que é maior? A resposta trará luz diante das possibilidades e você verá qual tem mais significado para você.

2 DE FEVEREIRO

NÃO É QUESTÃO DE SORTE

Tudo o que acontece depende somente da sua atitude — não, não é uma questão de sorte.

Quando você não apenas sabe disso na teoria, mas vive na prática, torna-se cada vez mais positivo.

Sabe aquele tipo de pessoa que todo mundo inveja e diz que tudo o que ela tem é por uma questão de sorte, de oportunidade e dinheiro? Pois saiba que, se ela está feliz e realizada, certamente seu sucesso não é obra do acaso, e sim fruto do seu poder pessoal.

3 DE FEVEREIRO

SEJA MAIS ZEN

Sabe o que é ser zen? É ser uma pessoa calma, tranquila, contemplativa, que não se abala por nada.
Se você soubesse como isso faz bem...
Para que ficar irritado com o trânsito ou com os colegas de trabalho? Para que perder a paciência com seu filho? Sair do seu eixo e equilíbrio faz um mal danado. Sem falar que para os outros é extremamente chato conviver com gente que só reclama.
Ser mais zen é ter a capacidade de compreender e aceitar que as dificuldades existem, sim, mas que para tudo existe um propósito maior.

4 DE FEVEREIRO

ABANDONE O VÍCIO QUE LHE FAZ MAL

Eu sei que não é fácil abrir mão de algo que, se por um lado faz mal, por outro dá prazer. Ainda mais quando já está incorporado na sua rotina. Mas não é impossível!
Acredito que a primeira pergunta que você deve se fazer é: eu quero largar esse vício?
Se existe vontade de parar, já é o primeiro grande passo. Encontre ou desenvolva uma crença forte para mudar o seu piloto automático. Acredite: você é capaz. Se sente que esse vício não faz bem a você, tome uma decisão definitiva de mudar. Assuma um compromisso consigo mesmo.

5 DE FEVEREIRO

DÊ PRIORIDADE AO SEU PROJETO DE VIDA

Nós temos uma tendência de deixar as coisas importantes da nossa vida para serem realizadas no oitavo dia da semana. Ficamos com muitas propostas na mente, com planos de execução que não se tornam ação.
Isso nos faz viver mais de sonhos do que de realidades construídas. Protela a felicidade.
Pare de deixar as coisas para amanhã!
Mãos à obra. Coloque já em prática o seu projeto de vida, com datas definidas. E comece a colher os frutos da sua execução.

6 DE FEVEREIRO

TRABALHE A SUA ESPIRITUALIDADE

Dalai Lama define a espiritualidade de maneira muito bonita: "Espiritualidade é aquilo que produz no ser humano uma mudança interior.". Falamos muito que o mundo exterior está conturbado. E realmente está. Há um excesso de ansiedade por todos os lados. Inclusive dentro de nós. Sozinho você não consegue mudar o mundo exterior, portanto, comece transformando o seu interior.

Não importa se será por meio de uma religião, de terapia ou de alguma vivência. Escolha aquilo que lhe faz bem. O que importa é que você se transforme de dentro para fora. E comece a ser a mudança que deseja ver no mundo.

7 DE FEVEREIRO

PEÇA AJUDA

Muitas vezes, nosso orgulho nos torna reféns das nossas inseguranças.
Por que você não pede ajuda? Por medo de assumir que precisa de apoio? Por não querer dar o braço a torcer? Por sempre ter passado a imagem de que não precisa de ninguém?
Estamos neste mundo para nos ajudar. Certamente existem pessoas que podem contar com o seu apoio a qualquer hora o dia ou da noite, não é mesmo?
E, sem dúvida, há pessoas com as quais você também pode contar.
Se você precisa decidir por algo que terá relevância na sua vida, peça ajuda para as pessoas em quem confia. O risco de pedir ajuda é ser ajudado.

8 DE FEVEREIRO

ECONOMIZE ÁGUA

A previsão é que nos próximos 25 anos o planeta terá 4 bilhões de pessoas sem água. Já imaginou esse cenário? Independentemente de hoje haver água em abundância em sua residência, tenha uma atitude consciente. Você faz parte do planeta. Faz parte da natureza. Use os recursos que Deus nos dá com sabedoria e responsabilidade. Estamos neste mundo para construir um legado de amor e respeito. Use a água e os demais recursos sem esbanjar. Seja comedido. Cabe a cada um se conscientizar e trabalhar para que outros se conscientizem.

9 DE FEVEREIRO

TRANSBORDE DE ALEGRIA

Você conhece ou já sentiu experiência mais desejada do que essa? O que importa, na verdade, é que queremos, desejamos e precisamos da alegria. Estar com a família em volta de uma mesa, conviver com amigos, estar junto com alguém que você ama, ajudar quem precisa... Esses são exemplos, entre outros infinitos momentos que podem trazer emoção, alegria, profunda e concreta felicidade. É uma sensação que toma conta de nosso ser... algo difícil de descrever com palavras.

Uma alegria tão intensa que as palavras empobrecem a experiência. **Alegria**... o seu poder é tão avassalador, é tão forte a energia que nos impulsiona, que ela toma conta de nossas células, do nosso corpo. Invade-nos de tal maneira que experimentamos a plenitude.

10 DE FEVEREIRO

CRIE MAIS TEMPO PARA VOCÊ

Isso exige uma disciplina tremenda! O que você quer fazer além de trabalhar? Jogar tênis, caminhar, começar a natação, ter tempo para uma massagem ou para curtir os seus filhos?

Para relaxar e se permitir viver novas experiências, por incrível que pareça, é necessário planejamento e disciplina. Porque a rotina e a roda-viva nos engolem o tempo todo.

Não se deixe engolir. Olhe o que faz falta na sua vida e permita-se ter tempo de vivenciar esses momentos que vão torná-lo um ser integral. Ter tempo para você mesmo é fundamental.

11 DE FEVEREIRO

TIRE UM MINUTO PARA SI

Não espere se sentir atropelado pela vida e pelos acontecimentos para se dar conta de que existe uma pessoa aí dentro precisando de atenção! Tire um minuto para si, respire fundo. Devagar e amorosamente. Busque, dentro de você, acessar a sua essência. Essa simples atitude pode ajudá-lo a se reconectar com a sua verdade, olhar as situações sob uma nova perspectiva e ampliar a sua capacidade de discernimento.

Muitas vezes, na correria do dia a dia, não nos permitimos esse tempo para nós, mas é fundamental respeitar sua essência e escutar e sentir a sua intuição. Não abra mão de acionar esse canal tão poderoso, capaz de inspirar você a tomar as atitudes mais acertadas.

12 DE FEVEREIRO

SEU FOCO ESTÁ NO PROBLEMA OU NA SOLUÇÃO?

Quando estiver desanimado e sentir vontade de enfiar a cabeça embaixo da terra por vergonha de ser assim ou assado, não deixe que essa sensação de limitação o bloqueie.
Tomar consciência de que algo não vai bem e precisa ser mudado já faz parte do processo de mudança e evolução. Evite a todo custo a autocrítica, que coloca sua energia no que que não vai bem. Em vez de se martirizar pelas coisas nas quais você não se sente competente para realizar, questione: para onde estou olhando? Para o problema ou para a solução? Se mantiver o foco no problema, vai ficar patinando em sua limitação. Seja criativo e pense em como mudar essa história e achar uma solução. Amplie suas possibilidades. Quando toma a atitude da mudança, a tendência é que o seu contexto mude e as coisas comecem a se encaixar.

13 DE FEVEREIRO

A VERDADE POR TRÁS DA CELEBRAÇÃO

Muitas pessoas preferem viver na negatividade, argumentando que a vida está difícil e que é assim mesmo que temos de levar. Sofrendo e se lamentando. É mais fácil culpar as circunstâncias, justificando as próprias agruras por uma questão de azar e acreditando sempre que para os outros a vida é mais fácil.
Vou lhe dizer uma coisa: não, não é fácil para ninguém. Aliás, é bastante complicado assumir a responsabilidade pela própria vida. Tarefa para poucos corajosos. E é isso o que as pessoas que realizam seus sonhos fazem. Certamente, elas já tiveram de enfrentar muitos processos internos dolorosos, mas quase ninguém sabe disso. Muito menos aqueles que só vivem de desculpas. Não se engane. Por trás de uma celebração estão muitas escolhas e histórias de superação. Que tal começar a construir a sua hoje?

14 DE FEVEREIRO

O EFEITO BUMERANGUE

Tudo o que fazemos na vida segue a mesma trajetória do brinquedo australiano que lançamos no ar e que volta para nossa mão. Toda ação tem uma reação. Toda causa tem uma consequência.

Se neste momento você está sofrendo com uma dúvida, indeciso, sem saber o que fazer, faça uma ponte para o futuro e reflita sobre as possibilidades que você tem.

Faça um exercício de futurologista. Pense o que cada atitude que tomar hoje vai resultar lá na frente. Projete cada decisão no tempo e imagine para onde essa decisão vai levá-lo. Se ela aproximar você daquilo que sonha para sua vida, esse é o seu destino. Vá em frente! Agora, se afastá-lo, busque outras possibilidades.

15 DE FEVEREIRO

GARANTA O DIREITO DE SE REALIZAR

Fico triste quando vejo pessoas que escolhem não ter sonhos. Ou melhor, optam por abrir mão dos próprios sonhos para viver os dos outros. Muitas fazem isso enganando-se ao acreditar que podem se nutrir da felicidade alheia, sendo apenas coadjuvantes. Já conseguimos prever o final dessa história: a frustração um dia surge e com ela a mágoa por aquele que parece ter roubado seus sonhos. Não, não foi o outro quem os roubou. Foi uma escolha da pessoa que decidiu não tê-los.

É natural que, em certos momentos da vida, as pessoas à sua volta fiquem com o papel principal. Há horas em que você precisa dar força para que o outro conquiste os próprios sonhos. Faça isso, mas sem deixar de manter o seu direito a realizações exclusivamente suas, que contribuam para a sua felicidade. Só você pode garantir o seu direto de se sentir pleno.

16 DE FEVEREIRO

INSPIRE-SE EM PESSOAS ADMIRÁVEIS

Graças ao livre-arbítrio, você tem direito e permissão para mudar suas crenças quando quiser. Só depende de você, de sua força de vontade e determinação.

No começo, pode ser difícil abandonar uma crença com a qual você conviveu durante muito tempo. Por isso, é interessante se inspirar em alguém com caráter e convicção que já chegou onde você deseja.

Diante da ameaça de a antiga crença retomar o posto, imediatamente sintonize-se com a postura daquela pessoa que admira. Quanto mais insistir em colocar novas e melhores verdades em sua vida, mais elas vão se realizar. Enquanto as crenças destrutivas perderão a força. Para começar, só precisa permitir que novas e positivas crenças se instalem em sua vida.

17 DE FEVEREIRO

POTENCIALIZE A SUA CORAGEM

Como sair da zona do medo para a da coragem?
A melhor maneira de vencer os medos é conhecê-los. Não deixe que uma possibilidade ruim assombre você sem uma causa concreta. Reflita sobre os medos que está sentindo. Por que determinada possibilidade o apavora? Será que esse temor tem razão de ser ou é uma ilusão?
Essa análise aprofundada do que lhe traz insegurança já é o primeiro passo em direção à coragem. Tente dar uma nota para cada um desses medos e veja se, conforme você faz o exercício, eles tendem a ficar cada vez menores.

18 DE FEVEREIRO

VIGIE SEUS PENSAMENTOS

Pensamentos são a matéria-prima da sua realidade.
Para ilustrar como isso se dá no dia a dia, os indianos falam que o Paraíso é formado por árvores dos desejos muito poderosas. Basta se sentar embaixo delas e desejar qualquer coisa que se realizará no mesmo instante.
Uma vez, um viajante, acidentalmente, sentou-se embaixo de uma árvore dos desejos. Sem saber de seu poder e, tomado pelo cansaço, ele pegou no sono. Quando despertou, estava com muita fome: "Estou com tanta fome que desejaria conseguir alguma comida em algum lugar". Logo apareceu uma deliciosa comida, flutuando no ar.
Então, outro pensamento seguiu em sua mente: "Se ao menos conseguisse algo para beber...". Imediatamente apareceram sucos e néctares. Bebendo e relaxando na brisa fresca, sob a sombra da árvore, começou a pensar: "Existem espíritos ao meu redor que estão fazendo truques comigo?". Então espíritos ferozes, horríveis, apareceram. O homem começou a tremer e um pensamento seguiu em sua mente: "Agora serei assassinado". Foi o que aconteceu.

19 DE FEVEREIRO

VOCÊ SE CONHECE BEM?

Quantas vezes você já parou para refletir sobre seus maiores anseios? Sobre quem você é em essência? Permita-se pensar nas sensações que gosta de ter, em quais situações se sente feliz, com quais atividades se sente realizado. Essa reflexão tem um poder especial de fazer com que você fortaleça seu poder pessoal e seu projeto de vida.
Não caia na cilada de embarcar no sonho dos outros — esses sonhos alheios não são os que trarão, de fato, a sua felicidade. Quando você descobre do que realmente precisa, as suas chances de fazer boas escolhas aumentam consideravelmente.

20 DE FEVEREIRO

O QUE ESTÁ ATRAPALHANDO SUA VIDA?

Vasculhe o seu mundo interior para "matar" o que tem atravancado sua vida.

Pergunte-se: "Eu acredito no meu potencial de vencer? O que mais admiro em mim? Do que me envergonho? O mundo tem o poder de me impedir de realizar meus sonhos? O que me paralisa? O que me dá medo?".

Com base nas respostas, jogue fora aquilo que não lhe serve mais. Mantenha os aspectos que julga positivos e que podem ajudá-lo a realizar seus sonhos. Mate dentro de você as emoções tóxicas, como o sentimento de culpa e as ameaças à sua felicidade.

Após essa faxina interna, reponha nos lugares vagos os pensamentos que lhe fazem bem, trazem autoconfiança, autoestima e energia para realizar.

21 DE FEVEREIRO

ENTRE NO ESTADO DE EXCELÊNCIA

Viver é muito mais do que se sentir bem, ser alegre, estar feliz.
É viver todos os dias consciente de quem você é, de qual espaço ocupa no Universo, no seu universo familiar, profissional, suas relações pessoais...
Conhecer seus potenciais, suas capacidades, suas forças e também suas limitações, suas fraquezas, seus pontos fracos... Quando sabemos quem somos, sentimos que estamos no nosso lugar, somos maduros para assumir nossas dificuldades e trabalhar a favor da superação.
Viver em estado de excelência é ter convicção que a cada segundo construímos nossa realidade! É nos tornar responsáveis por tudo o que nos acontece. Reconhecer nosso livre-arbítrio, e poder escolher! É acordar todos os dias planejando o que queremos experimentar naquele dia, escolhendo o que vamos viver, o que vamos sentir!
Já pensou que pode escolher o que vai sentir?

22 DE FEVEREIRO

PARE DE FUGIR

Imagine alguém que tem como verdade a seguinte premissa: ficar pobre é a pior tragédia que pode acontecer na vida. Com medo, então, ela volta todas as suas ações para fugir da pobreza. Economiza muito dinheiro. Pode até se tornar avarenta. Dá tanta força para o medo da pobreza, que não consegue enriquecer. Quanto mais foge da pobreza, mais ela entra no rumo da sua vida.

Imagine alguém que morre de medo de ficar doente. Vive preocupado e pode até se tornar hipocondríaco. Está sempre fugindo da doença. Dá tanto valor para ela que nunca se sentiu 100% saudável.

Como mente e corpo formam um sistema único, seu corpo percebe o movimento de fuga e você fica evocando essa energia de fuga para sua vida. Essa energia negativa bloqueia as energias positivas — e faz com que fique mais difícil conquistar o que quer. Nem todo mundo tem consciência dessa energia negativa ao fugir dos sonhos, por isso ela é tão perigosa.

23 DE FEVEREIRO

A PROSPERIDADE É ILIMITADA

Muitas pessoas têm o sonho de se tornar ricas. Passam a vida tendo esse como o objetivo maior de sua existência. Dedicam-se, fazem contas, procuram estar em projetos promissores. Contudo, mesmo querendo muito ter dinheiro em abundância, a maioria acredita que isso é para poucos. Não é verdade.
O Universo é abundante. Você precisa acreditar que não há um limite de pessoas que podem ter riqueza material. Essa limitação quem impõe somos nós mesmos. Acredite no seu potencial para ser verdadeiramente rico. Coloque generosidade no seu dia a dia. Livre-se do medo de empobrecer. Comece trabalhando internamente a certeza de que você é capaz e merecedor.

24 DE FEVEREIRO

NÃO FIQUE REFÉM DA TECNOLOGIA

Celular, internet, e-mail... você se tornou refém dessas coisas? Sabe usar inteligentemente toda a tecnologia disponível, ou ela vem lhe escravizando?

Não sou contra a tecnologia, mas vejo que cada vez mais as pessoas estão distraídas e desconectadas do seu tempo presente por causa disso. É comum ver as pessoas abrirem mão de interagir, conversar olho no olho com alguém que está lá, ao vivo e em cores, para ficar teclando. Por trás disso, existe uma ansiedade que gera incapacidade de curtir o mundo off-line.

Se você parou para pensar e se deu conta de que não larga o celular, proponho uma experiência. Desligue seu smartphone, vá para um lugar perto da natureza. Feche os olhos e conecte-se consigo mesmo. Procure se ouvir. Coloque o foco da sua consciência em você.

25 DE FEVEREIRO

O MOMENTO DE PEDIR PERDÃO

Perdão é algo que só conseguimos conceder quando descobrimos que nós, assim como as outras pessoas, podemos errar. Por isso, deixe que a energia do perdão cure os seus relacionamentos.

Carregar ressentimento, mágoa, faz parte de ser humano, mas tome para si a consciência de que é preciso exercer o perdão. Pare um minuto para refletir: quem você precisa perdoar?

Carregar mágoa é como beber o veneno e querer que o outro morra, metaforicamente. O perdão é um ato de amor que você faz por si mesmo.

Faça uma lista de três pessoas de quem carrega ressentimento. Coloque uma meta de entrar em contato com elas e pedir perdão.

26 DE FEVEREIRO

SINTA A SUA EVOLUÇÃO TODOS OS DIAS

Como você vem administrando os seus sentimentos? Se está lidando com eles de forma positiva e a seu favor, com certeza sua qualidade de vida está satisfatória e você está aprendendo a viver de maneira muito melhor a cada dia.

O contrário também é verdadeiro. Se você não coloca em prática a sua inteligência emocional, o estresse e a ansiedade acabam dominando sua vida.

Use essa inteligência para ver que tudo na vida tem um propósito. Olhe para as dificuldades como oportunidades. E verá que a cada dia a vida lhe apresenta desafios com um único propósito: a sua evolução.

27 DE FEVEREIRO

CUIDE DO SEU NINHO FAMILIAR

Na minha trajetória com o Instituto Tadashi Kadomoto, pude acompanhar alunos que conseguiram fazer resgates lindos. E se existe um resgate que me toca muito é aquele no âmbito familiar. Sinto que a família é a base da sociedade, a base da vida.

A antroposofia define a família de maneira muito bonita: ninho familiar. Essa palavra "ninho" me remete a acolhimento, aceitação, amor.

Quero que você pense nisto: na família reside uma relação eterna porque tem amor. Se tem amor, é eterno.

Entenda a importância da preservação e do cuidado desse ninho. Preste mais atenção às necessidades da sua família, aos pedidos que indiretamente as pessoas fazem. No fundo, eles se resumem a uma coisa só: todas as pessoas necessitam de carinho, atenção, afeto.

Todas precisam de amor.

28 DE FEVEREIRO

GRATIDÃO E SAÚDE EMOCIONAL

Você sabia que a gratidão pode trazer saúde emocional e muito bem-estar para você?

Ela é uma virtude que precisa ser cultivada e desenvolvida continuamente. Tem de se tornar um hábito diário.

Em vez de se lastimar, mude essa atitude de vítima para uma atitude positiva e agradeça desde o momento em que você abre os olhos pela manhã até a hora de dormir.

Ao fazer isso, abrirá em seu coração um entendimento para descobrir quantas bênçãos pequenas, ou grandes, recebe no seu dia a dia. Notará que muitas delas pareciam invisíveis.

Então você passa a se sentir protegido, amparado, ajudado.

A gratidão cura doenças psicossomáticas e crônicas. Cura as dores da alma como a depressão, a tristeza, a solidão, a melancolia, a baixa autoestima, a insônia e a ansiedade, o mal deste século.

O sentimento de gratidão nos liberta de preocupações e nos acalma. Ao agradecer, o nosso coração descansa, a nossa mente se aquieta, relaxamos mais, dormimos melhor e ficamos livres de tantas tensões da vida moderna.

29 DE FEVEREIRO

RELACIONAMENTOS VERDADEIROS

Quando duas almas se encontram e se querem bem, tudo flui naturalmente.
Existe uma vontade de ser alguém melhor apenas com o intuito de agradar o outro.
Há consideração e respeito, que faz com que qualquer ponto de conflito se torne um ponto de conexão.
Existe uma ligação tão forte que não há apego. Há confiança e não existe cobrança.
Relacionamentos verdadeiros nascem da vontade de duas pessoas fazerem dar certo. Nascem do empenho mútuo de cuidar da relação.

MARÇO

1 DE MARÇO

POR QUE FAZER TERAPIA?

Vejo a terapia como um processo lindo de autoconhecimento. O primeiro grande passo é separar suas dores daquelas que não o são.
Quantos problemas você carrega que não são seus?
Ao pensar no papel da terapia criei uma metáfora. Imagine que do seu nascimento até o ponto do final da sua vida existe uma corda. Você está amarrado a ela como em uma tirolesa. A corda lhe permite fazer toda a trajetória. De repente, porém, as coisas se complicam. No seu parto, algo acontece e nasce o seu primeiro nó emocional. Um nó na corda que atrapalha o seu trajeto. Aos três anos, surge outro nó emocional.... Assim, por toda a vida, muitos nós emocionais vão surgindo na corda. O que lhe permitiria chegar ao final da sua vida livre e feliz permite chegar só até a metade.
Então entra a terapia, para ajudá-lo a dar um passo para trás, entrar em contato com esses nós emocionais e desatá-los. A partir do momento em que começa a se conscientizar de que existem questões a serem trabalhadas, você passa a se conhecer melhor. Conseguirá chegar ao final da sua vida mais leve, feliz, consciente.
Busque o seu processo de autoconhecimento!

2 DE MARÇO

SEMPRE É TEMPO DE RECOMEÇAR

Não importa onde você parou, em que momento da vida você se cansou. O que importa é que sempre é possível e necessário recomeçar.

Dar uma nova chance a si mesmo. Renovar as esperanças na vida e o mais importante: acreditar em você de novo. Sofreu muito nesse período? Foi aprendizado. Chorou muito? Foi limpeza da alma. Ficou com raiva das pessoas? Foi para perdoá-las um dia. Sentiu-se só por diversas vezes? É porque fechou a porta para as pessoas. Pois agora é hora de reiniciar, de pensar na luz, encontrar o prazer nas coisas simples de novo.

Que tal um novo emprego? Uma nova casa? Um corte de cabelo arrojado ou diferente? Um novo curso? Ou aquele velho desejo de aprender a pintar, desenhar, dominar o computador ou qualquer outra coisa que você sempre quis?

Olhe quantos desafios, quantas coisas novas nesse mundão de Deus estão esperando por você!

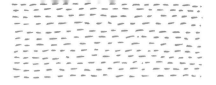

3 DE MARÇO

SER OTIMISTA É SER PERSEVERANTE

Ao esperar o melhor, você cria uma expectativa positiva que vai resultar no processo de vitória. Ser otimista é ter uma fé inabalável e aquela certeza sem limites de que tudo vai dar certo.
Quando o sentimento de entusiasmo nasce dentro de você, o Universo aplaude essa iniciativa e conspira a seu favor, colocando-se a serviço da humanidade.
Você é quem escreve a história da sua vida ao optar por atitudes construtivas. Cresce como ser humano e filho direto de Deus. Positivo atrai positivo. Alegria chama alegria. Ao exalar esse estado otimista, nossa consciência desperta energias vitais que trabalham na direção de suas metas. Seja incansavelmente otimista. Faz bem para o corpo, a mente e a alma.
Seja mais paciente consigo mesmo. Entenda as suas limitações. É natural viver aflições. Só não é inteligente conviver com elas por muito tempo. Ao escolher com sabedoria uma vida com otimismo, seu coração sorri, seus olhos brilham e a humanidade agradece por você existir.

4 DE MARÇO

A FORÇA PODEROSA DA GRATIDÃO

Demonstrar gratidão sincera é um atributo natural da mente voltada para a prosperidade.
Ao desenvolver o hábito de agradecer, você aciona a energia curativa do Universo e muda as circunstâncias, o ambiente ao seu redor.
É muito importante que você se recorde sempre de agradecer. Existem muitas maneiras concretas de fazer isso, como escrever lembretes e espalhá-los por todas as partes por onde costuma passar e agradecer quando passar por eles, por exemplo. Você também pode escrever um diário contemplando as graças recebidas no seu dia.
Por fim, repita mentalmente, várias e várias vezes ao dia, como um mantra: "Obrigado Deus, gratidão, vida".
Experimente isso e sinta como você fica mais calmo, mais completo, mais feliz.

5 DE MARÇO

CAIU? LEVANTE!

Espalhar aos quatro ventos que você é um perdedor só vai torná-lo um grande perdedor. Quebre esse tipo de crença maléfica.

Pare de pensar que não vai conseguir, que as coisas não deram certo, que sua vida é um mar de lama...

As coisas podem até não dar certo em um primeiro momento. Os problemas até chegam a aparecer no meio do caminho, mas não os torne verdade absoluta em sua vida. Volte o foco para o que é positivo, para suas motivações, para o seu desejo de fazer o melhor.

Quem constrói a vitória é aquele que crê plenamente nela. Aquele que tem crenças que o impulsionam para a frente diz para si mesmo: "Eu posso. Eu mereço. Eu consigo. Eu vou chegar lá!".

Se você acredita convictamente, seu sonho se fortalece. Não se deixe abater por desafios e sofrimentos.

6 DE MARÇO

SER ALEGRE FAZ PARTE DA NOSSA ESSÊNCIA

Todos reivindicamos e desejamos a alegria porque é uma manifestação da nossa essência, faz parte do nosso "Eu" Superior. Ela é uma potência vital, que nos coloca em contato com a força de existir. Precisamos saboreá-la!
Acredito que nada nesta vida nos faz sentir tão vivos como a alegria.
Talvez você me pergunte: "Tadashi, como fazer emergir essa alegria dentro de mim? Como posso cultivá-la?".
Para responder, lhe devolvo outras três perguntas:

1. Você se conhece?
2. O que tem feito pelo seu processo evolutivo?
3. Como você funciona?

Olhe para dentro de você e encontre essas respostas. É no autoconhecimento que está a sua alegria.

7 DE MARÇO

PARA MUDAR, ATIVE SUAS EMOÇÕES

A maioria das nossas más escolhas é inconsciente. Nem mesmo percebemos!

Existe uma técnica que o ajuda a gritar uma nova verdade para o mundo e a virar a chave para novas escolhas. Ela consiste em alterar as sensações que você relaciona a determinada experiência.

Digamos que você queira emagrecer e precisa parar com a mania de comer doces a todo momento. Em vez de associar o doce ao prazer, passe a fazer uma conexão direta desse tipo de alimento com gordura, baixa autoestima ou falta de saúde.

Conforme for mudando o significado do doce em sua vida, ele vai perdendo espaço. Este é apenas um exemplo. Você pode adaptar esse conceito a tudo o que não está lhe fazendo bem neste momento.

É preciso impactar o seu sistema nervoso e as suas emoções com uma nova verdade. Essa é a estratégia para mudar definitivamente o que não quer mais em sua vida.

8 DE MARÇO

NÃO SE ASSUSTE COM O PREÇO DE SEU SONHO

Você sabe bem qual é o seu sonho, mas já pensou qual é o preço para chegar aonde quer?
Se ainda não fez essa reflexão, faça-a agora.
Minha intenção não é que você sofra por antecipação, mas se prepare para usar toda a sua determinação para não se abater por qualquer obstáculo.
Quero ajudar você a fazer o papel do crítico construtivo do seu sonho. As pessoas que conquistam tudo o que desejam na vida costumam estar mais preparadas para os percalços do que para o momento de calmaria.
Ajuste o seu foco para chegar lá na frente. Não olhe as brasas em que terá de pisar pelo caminho – não se deixe paralisar por causa delas.
As brasas aparecem de várias formas. São, por exemplo, os nãos que você vai ouvir na sua jornada.
Quanto mais disposto estiver para enfrentar as negativas, mais forte estará na conquista do seu sonho.

9 DE MARÇO

DECODIFIQUE OS SINAIS DE DEUS

Todos nós, sem exceção, estamos passando ou passamos por uma dificuldade ou situação-problema.
Independentemente do que a vida nos tenha apresentado, nós nos aborrecemos e esquecemos de Deus.
Acredito que esses problemas ou dificuldades nada mais são do que processos da nossa evolução espiritual.
Na verdade, o que precisamos é **aprender** a decodificar os **sinais** que Deus nos manda. O Universo está o tempo todo nos enviando **sinais**.
Será que **você** está em sintonia com Deus e com o Universo? Será que vem trabalhando internamente para estar em harmonia consigo mesmo e com o Universo? Acredito que esta seja a única maneira de entender as lições que Deus nos apresenta e evoluir.

10 DE MARÇO

COMO AS SOMBRAS PODEM CURAR VOCÊ

Nossas sombram têm poder para nos trazer curas desde que aprendemos a nos conhecer e busquemos os recursos para administrá-las. Você tem coragem o bastante para assumir seus medos, suas ansiedades, suas inseguranças, suas tristezas...?

O primeiro passo é se **conscientizar** dos sentimentos ou comportamentos "indesejados", ou limitantes.

O segundo é: dentro de situações ou locais protegidos, você se permitir **sentir** esses comportamentos ou sentimentos que o limitam. Em seguida, desapegue-se de toda dor ou **negatividade** que essas coisas provocam.

O quarto passo é: depois de se conhecer e saber como você funciona, separar o que é seu. Ou seja, pare de comprar a dor dos outros.

O quinto passo: tenha claro e consciente que pode sentir medo, mas você não é o medo. Pode sentir ansiedade, mas você não é a ansiedade, sentir tristeza, mas você não é a tristeza.

Quando vivencio esses sentimentos limitantes, falo para a criança que vive em mim: "Isto não é você...", "Isto também vai passar".

Cuide sempre de si mesmo com amor incondicional.

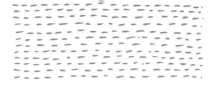

11 DE MARÇO

FAÇA MAIS PELAS PESSOAS AO SEU REDOR

Como é sua ligação com as pessoas do seu círculo de relacionamento? De que forma você se posiciona nos "Universos" dos quais faz parte? Como sente a conexão com toda raça humana?

Sinto que vivemos um momento lindo de transformação, com possibilidades de resgatarmos o amor e a luz.

Hoje existe um movimento muito maior do que havia anos atrás, focado nas pessoas... na união.

Um fio invisível que nos liga a todas as pessoas tem mantido a união de famílias, comunidades e sociedades.

As pessoas que vivem isoladas, na verdade, não vivem. Isolamento não é vida.

Viver para satisfazer apenas os próprios desejos, viver só para sobreviver não é vida. Você faz parte de um todo.

Como dizia meu pai: "Viver só para sobreviver, melhor ser cachorrinho de estimação.".

Todos nós temos uma "missão" nesta vida. Precisamos aprender, evoluir e, com amor, **compartilhar** esses aprendizados.

O desequilíbrio existe porque fazemos muito pouco pelo outro e pedimos demais.

12 DE MARÇO

VOCÊ ACREDITA EM MILAGRE?

Parece uma pergunta estranha, não é? Mas tenho refletido muito sobre isso. De que milagres existem, nunca duvidei. No entanto, depois que vivenciei um processo muito grave de glaucoma, essa verdade ficou mais forte em mim.

Sofri uma crise de transformação que fez com que eu realmente me desse conta de que milagres existem.

Passei a olhar o meu entorno. Quantos milagres estavam à minha volta e eu não enxergava? Amigos são grandes milagres! Assim como a minha esposa, os meus filhos, a minha família, as pessoas que caminham comigo em minha jornada evolutiva.

O tempo todo Deus e o Universo nos apresentam grandes milagres. Só precisamos estar dispostos a enxergá-los.

13 DE MARÇO

PRECISAMOS NOS UNIR

Acredito que muitos de nós, por meio da busca do autoconhecimento, de processos de expansão de consciência, hoje sabemos que o planeta vive uma crise sem precedentes, mas que faz parte do nosso processo evolutivo. Precisamos aprender e crescer com tudo o que está acontecendo ou a crise vai piorar.

É momento de fazer novas escolhas, mais conscientes, de resgatar o amor, a compaixão, a união, a sinceridade e **agir**.

Nós temos neste momento uma oportunidade única de resgatar a energia amorosa que nos permeia, de nos unir para aprender a cuidar uns dos outros, para preservar a raça humana.

14 DE MARÇO

DO QUE VOCÊ PRECISA PARA SER FELIZ?

Certa vez, quando meu filho Rafael tinha quatro anos, ele chegou em casa extremamente feliz, realizado.
Curioso, perguntei: "Filho, por que você está tão radiante?".
Ele me respondeu com um sorriso no rosto: "Pai, o Lucas, meu amigo, prometeu que amanhã vai me dar uma lagarta.".
Logo surgiu em mim um pensamento: como uma criança pode ficar tão feliz e realizada por ganhar uma lagarta? Mas não era um presente qualquer, e, sim, o do melhor amigo dele!
Depois, quando fui me deitar, refleti sobre o episódio e cheguei à conclusão de que as sensações de felicidade e realização podem vir das mais diversas maneiras. Dependem tão somente do significado que você dá a elas. Para meu filho, elas vinham do simples fato de ganhar uma lagarta do amigo.
O que é felicidade para você? O que é realização para você? O que é preciso acontecer para que esses sentimentos façam parte da sua vida?

15 DE MARÇO

COMO VOCÊ TEM USADO SEU TEMPO?

Tenho refletido sobre o tempo que investimos na nossa evolução pessoal, espiritual, intelectual...

Não existe a possibilidade de armazenar o tempo para usá-lo depois. Não podemos poupá-lo para usar em nossa velhice.

O tempo é o aqui e agora a cada instante. O que você tem feito com ele? Tem investido no tempo para sua conscientização ou tem perdido tempo? Tem usado o tempo a seu favor ou o tem jogado fora?

Tempo é o único limite real do ser humano, mas ao mesmo tempo o engrandece tornando possível escolher o que fazer com ele. Para isso é preciso ter consciência.

Acredito que só existe uma maneira de dar um salto quântico de evolução: compreender que é nesta hora, neste momento, neste tempo, **agora**, que podemos nos tornar conscientes de alguma coisa e "dominá-la", "curá-la".

16 DE MARÇO

SEJA SIMPLES!

Quando minha filha Julia, ainda pequena, viu um bercinho de brinquedo muito simples em uma feira hippie em Campinas, ela se apaixonou. Pediu o tal bercinho de presente de Natal.

Pela correria de fim de ano, confesso que me esqueci de voltar à feira para comprar aquele berço.

Sentindo-me culpado, resolvi compensar e fazer algo que imaginava ser muito melhor. Encontrei uma marcenaria e encomendei um berço incrível, muito melhor do que aquele da feirinha.

Pelo meu ego, tinha certeza de que a surpresa faria Julia extremamente feliz.

Na hora de abrir os presentes na noite de Natal, fiquei na expectativa, esperando para ver a carinha dela de felicidade. Mas... ver que dentro do pacote não estava o bercinho da feira hippie talvez tenha sido a maior decepção da vida dela.

Isso me levou a uma reflexão muito grande sobre o que realmente pode ou não fazer alguém feliz.

Reflita você também sobre viver de forma mais simples. Que você possa presentear as pessoas queridas a começar pelo seu coração. Seja simples.

17 DE MARÇO

DEIXE IR, DEIXE ANDAR

Reflita por um minuto: quantas coisas você precisa ter coragem para deixar morrer? Padrões que não lhe servem mais, comportamentos, sentimentos, histórias...
Por apego, muitas vezes continuamos repetindo situações e atitudes que nos causam dor, mesmo sabendo que elas não fazem mais parte da nossa história. Nesses momentos, é preciso ter a determinação de romper.
Você já tem o poder de reaprender pelo amor e não mais pela dor. Permita-se viver nessa nova vibração.
O renascer com o amor vai lhe conectar com essa capacidade.
Para poder renascer é necessário ter coragem para deixar ir embora o que não lhe serve mais.

18 DE MARÇO

A MÁGICA DA AÇÃO

Todos temos aquele dia em que não estamos com vontade nenhuma de fazer o que precisa ser feito.

Por mais que você ame o seu trabalho, às vezes, a vontade de abrir o computador é zero.

Por mais que você se sinta muito bem praticando corrida, tem dia que parece um esforço sobre-humano calçar o tênis e ir para o parque.

Ok, um dia não é igual ao outro, mas, nessas horas, convido você a sentir a mágica da ação. Em vez de ficar naquele conflito psicológico "do vou ou não vou", apenas comece a fazer.

Permita que os sentimentos em relação àquela tarefa mudem. Tem dias que o melhor é pensar menos, sofrer menos e simplesmente fazer.

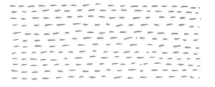

19 DE MARÇO

TODAS AS EXPERIÊNCIAS SÃO VÁLIDAS

Tudo na nossa vida tem um propósito. Todas as nossas experiências, prazerosas ou dolorosas, trazem-nos algum aprendizado.

Nossa maturidade vem das experiências que vivemos. Elas podem ser confortáveis ou não. Não existe uma experiência ruim. O que existem são algumas experiências prazerosas, com as quais você aprende pelo amor, e outras traumáticas, que trazem aprendizado por meio da dor. Todas ensinam.

A vitória traz euforia. A derrota traz reflexão e evolução. Valide as experiências que você vive sem colocar nelas rótulos de boas ou ruins.

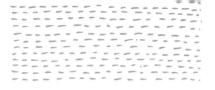

20 DE MARÇO

O PODER DA ALEGRIA

Você tem coragem suficiente para assumir o **seu** "poder da alegria"?

A alegria é uma experiência que todos desejam, mas poucos se dão conta de que ela é inata, ou seja, você a tem, já nasceu com ela. Portanto, você precisa é de coragem para **assumir** a sua alegria, **tomar posse** desse poder.

Infelizmente, muitos buscam a alegria de maneira artificial no álcool, nas drogas ou em um consumismo sem limite. Nada disso vai lhe fazer sentir a alegria verdadeira, genuína. Porque os efeitos e a alegria que eles trazem passam — e muito depressa.

A alegria que surge da nossa alma, a manifestação do nosso **poder vital** e essência, nos faz sentir um profundo prazer, conecta-nos com nosso "eu superior". Traz uma felicidade concreta.

Sentir alegria não quer dizer ausência de tristeza, nem ver o mundo apenas com óculos cor-de-rosa.

A alegria me ajuda a transformar as dificuldades, a ter aceitação do fluxo desta vida terrena.

Seja alegre... Seja feliz... Seja **livre**...

Assuma o seu **poder da alegria**.

21 DE MARÇO

VOCÊ É FLEXÍVEL?

"Nao é o mais forte da espécie que sobrevive, nem o mais inteligente, mas os que melhor se adaptam às mudanças" (Charles Darwin).

Vivemos um momento de **mudanças**, todos nós passamos por processos que exigem que façamos diferente, mudemos para chegar aonde queremos. Esses processos exigem que tenhamos resiliência, o mesmo que a "velha" e funcional **flexibilidade**.

Para mim, flexibilidade é atingir o **seu** objetivo, talvez de uma forma diferente da qual tenha traçado inicialmente – o que nem sempre é fácil.

Sem nos dar conta, tornamo-nos rígidos, inflexíveis.

Pare e analise:

Quantas coisas você faz de forma inflexível?

O que tem feito que vem enrijecendo a sua vida?

Onde você se vê completamente engessado, sem opções?

Onde age mecanicamente?

Quais comportamentos tem usado sem flexibilidade?

Viva mais leve, busque opções, faça escolhas, flexibilize.

Seja mais fluído como a água do rio que, perante os obstáculos, contorna-o, não bate de frente, atinge o seu objetivo e chega ao mar.

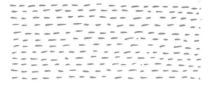

22 DE MARÇO

POR QUE ESTAMOS AQUI?

Li um livro do Rabino Jonathan Sacks, no qual ele diz: "Deus criou o mundo imperfeito para que nós terminássemos a Sua obra..."
Estamos neste mundo terreno para aprender, evoluir e fazer uma jornada sagrada.
No meu caminho, encontrei pessoas imperfeitas como eu, fazendo coisas extraordinárias.
Observando essas pessoas e aprendendo com elas, pude perceber que elas têm uma responsabilidade espiritual, social e simplesmente querem **ajudar** o próximo.
São pessoas que na sua caminhada evolutiva receberam o chamado de Deus para exercitar o amor.
Sentiram a alma tocada por Deus para colocar o amor a serviço porque Deus é e criou o mundo com amor.
Tenho consciência de que temos a liberdade para ser "sócios" de Deus e com a possibilidade linda de poder cocriar um mundo maravilhoso, desde que resgatemos o amor nato existente dentro de nós.

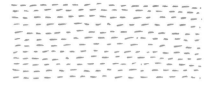

23 DE MARÇO

CONSULTE A SUA CONSCIÊNCIA

Vivemos em um mundo em que todos têm opinião para tudo. Julgar as atitudes dos outros virou corriqueiro. Isso me faz refletir:

Quantas vezes eu julgo as pessoas sem ter embasamento para tal? Quantas vezes pauto minhas decisões preocupado com o que os outros vão pensar ou dizer? Você já parou para pensar nisso?

Ninguém é igual a ninguém. Uma pessoa não sente igual a outra. Portanto, não dá para criar ou esperar um comportamento padrão que esteja de acordo com a aprovação das pessoas.

No momento de tomar uma atitude, consulte a sua consciência, e não a opinião alheia.

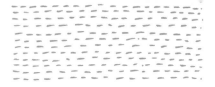

24 DE MARÇO

FIQUE COM A SUA TORCIDA

Existe uma frase do músico inglês Lemmy Kilmister que diz: "Na minha vida até agora descobri que na verdade só há dois tipos de pessoas: aquelas que estão com você e aquelas que estão contra você. Aprenda a reconhecê-las, pois são frequente e facilmente confundidas".

Nesta vida, cerque-se de pessoas que querem o seu bem. Elas não são necessariamente as que fazem você sorrir o tempo todo. Quem se preocupa com você, muitas vezes, mesmo sofrendo, diz algo que sabe que não vai lhe agradar. Faz um alerta, diz uma verdade que pode doer. Pense em uma mãe que repreende o filho porque sabe que precisa ensiná-lo.

Aprenda a identificar as pessoas que torcem por você. O que elas têm em comum? Tomam atitudes pensando no seu bem.

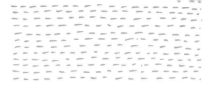

25 DE MARÇO

DECIDA!

Temos tudo o que é preciso para alcançar muito mais do que sonhamos. As comportas do que está represado dentro de nós vão ser abertas através de uma **decisão**, que pode trazer uma alegria gigantesca ou uma tristeza profunda. Uma única decisão pode trazer grande prosperidade ou pobreza, companheirismo ou solidão, vida saudável e longa ou a morte.

Talvez o grande desafio **hoje** seja tomar a decisão que pode mudar a sua vida. Peço que a tome com consciência, porque toda escolha tem consequências.

Decida sobre algo que vem "empurrando com a barriga". Comece a fazer aquele curso que vem adiando há anos. Seja gentil, amoroso. Cuide das pessoas e do meio ambiente com compaixão e respeito.

Peça perdão às pessoas que você magoou. Ligue para as que estão distantes e que há muito tempo não encontra só para dizer que está com saudade.

Use sua consciência e não deixe as coisas em suspenso. Decida. Saia de cima do muro. Assim sua vida começará a andar.

26 DE MARÇO

SAIA DA SOLIDÃO

Está se sentindo sozinho? Besteira!
Tem muita gente esperando apenas um sorriso seu para chegar perto de você.
Quando nos trancamos na tristeza, nem nós mesmos nos suportamos. Ficamos horríveis. Hoje é um bom dia para começar a resgatar o que você abandonou.
Pense em você. Pense no mundo que precisa de você. Pense quanto você pode ajudar as pessoas. Quanto pode acrescentar na vida delas.
Somos seres apaixonáveis. Somos capazes de amar muitas e muitas vezes. Afinal, somos o amor.
Como diria Fernando Pessoa, "somos do tamanho daquilo que vemos e não do tamanho da nossa altura".
Que haja amor, compaixão e paz entre todos os seres do Universo.

27 DE MARÇO

VIVA EM ESTADO DE PLENITUDE

Todas as pessoas, de uma maneira ou de outra, buscam viver em paz e felizes, em um estado de plenitude.
O que nos faz seres únicos e insubstituíveis não são as coisas materiais, mas nossa capacidade de nos unir a uma inteligência cósmica, universal – Deus.
O que nos torna seres "especiais" é a maneira como nos sentimos parte do todo.
Quando isso acontece, é como uma mágica. Enxergamos com os olhos físicos, mas não conseguimos explicar racionalmente como acontece.
Quando nos permitimos fazer parte do todo, tornamo-nos conscientes de algo muito maior, ganhamos um mundo que poucos conseguem imaginar pela racionalidade e pela intelectualidade da vida cotidiana.
Sentimos e vivemos a vida de forma holística. Assumimos a nossa identidade, ou seja, quem realmente somos. Passamos a ser mais criativos, espiritualizados e vivemos em paz, felizes, com menos julgamentos.
Vivemos em plenitude!

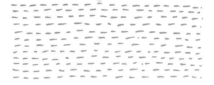

28 DE MARÇO

EMBARQUE NA SUA VIAGEM INTERIOR

Segundo a tradição Budista, "a viagem [a vida] é um veículo de transformação ao longo de uma expedição na busca de compreender a vida e a natureza de nosso ser". A vida é como um caminho de acesso e exploração de um Universo misterioso presente, ao mesmo tempo, dentro e fora de todos nós. É uma viagem não apenas externa, mas também — e principalmente — interna. Muitas vezes **secreta**.
Você pode fazer esse caminho da sua cabeça ao seu coração, desde que decida se conhecer, sair da sua zona de conforto e olhar para dentro de si mesmo. Boa viagem!

29 DE MARÇO

TUDO ACONTECE NA HORA CERTA

No entanto, às vezes fico com a sensação que já passou da hora de resgatar o amor e estender nossas mãos para os "necessitados".

Como acredito que tudo acontece na hora certa, estamos no nosso tempo e ainda podemos fazer o bem, sem olhar a quem.

Contudo, respeitando a liberdade de todos pelas escolhas que fizeram e pelo momento da sua caminhada.

"Que não saiba a mão direita o que fez a mão esquerda." (Mateus 6:3).

Com amor e conectados à nossa alma, ou seja, sem ego, podemos efetivamente ajudar.

"Ser humano significa ser consciente e ser responsável." (Victor Frankl).

Que você esteja consciente do amor existente em você.

Que esteja consciente de se colocar a serviço do outro, com amor.

Que você seja responsável de fazer deste mundo um lugar maravilhoso.

30 DE MARÇO

ATITUDE DE AMOR, COMPAIXÃO E PAZ

Acredito na bondade dos seres humanos. Aliás, nossa essência é espiritual e de puro **amor**.
Precisamos resgatar e desenvolver uma atitude de **amor**, **compaixão** e **paz** perante os outros.
Se a nossa motivação para tudo é da alma, ela é sincera e pura. Assim, todo o resto vem pela conspiração do Universo.
Por isso acredito que podemos desenvolver uma atitude correta para com nossos semelhantes, baseada no amor, na compaixão e na paz.
Olhar para cada ser humano transmitindo a seguinte mensagem: "Você é insubstituível porque é você.".

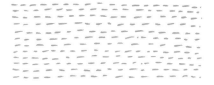

31 DE MARÇO

POR QUE FAZER O JEJUM?

O jejum é um momento apropriado para **parar**, **refletir** e **meditar** sobre seus valores, seus princípios de vida e suas crenças.

O que norteia a sua vida? O que é importante para você? Que exemplos quer deixar para os seus filhos ou para o mundo? Qual é a sua missão neste planeta?

Penso que o jejum seja uma maneira interessante de obter as respostas para essas perguntas.

Acredito também que esse jejum não deve ser, necessariamente, só de alimento.

Você pode fazer um "sacrifício" para acessar a sua divindade e entrar em conexão com o seu Eu Superior. Pode fazer um jejum de comportamentos, vícios, pensamentos, sentimentos...

E nesse dia do jejum, substituí-los por comportamentos que lhe fortaleçam, hábitos saudáveis, pensamentos nobres, sentimentos que o impulsionem.

Porém, cuidado para não fazer desse jejum um fardo pesado e usar esse processo de grandeza espiritual maravilhosa para se vitimizar.

Boa jornada. Bom jejum.

ABRIL

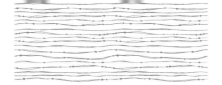

1 DE ABRIL

ACEITE AS CRISES DE TRANSFORMAÇÃO

Vivemos crises de transformação 24 horas por dia.
Por isso, penso que a vida é nossa grande oportunidade para aprender, nossa melhor Mestra.
Todas as crises de transformação que estamos vivenciando e vamos viver estão nos preparando para algo **muito melhor**.
Elas servem para nos tirar da zona de conforto, para adquirir novas habilidades ou para mudar o que for preciso.
O propósito dessas crises é **nosso aprimoramento, nossa evolução**.
Se temos essa consciência, geralmente nos motivamos e agimos com mudanças significativas em nossa vida.
Existem momentos que são verdadeiros marcos, sinalizam como luz de neon que um ciclo se fechou, quer aceitemos, quer não.
Para percebê-las, precisamos estar alinhados, centrados no nosso propósito, nos nossos valores, nas nossas crenças para escutar o nosso coração e, com compreensão, aceitação, amor incondicional, ter a lucidez e a sensibilidade para aceitar o fim de um ciclo.
A partir dessa decisão, abrimos espaço para nos readaptar e reposicionar para o **novo** com infinitas possibilidades.

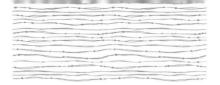

2 DE ABRIL

AGIR E VIVER COM SABEDORIA

Agir e viver com sabedoria é, para muitos, um sonho. Meditando sobre a tal sabedoria, acredito que ela independe de escolaridade.

Sabedoria é aceitar e compreender a vida e o mundo, como eles se apresentam. Sem medo e sem intenção.

Sabedoria é estar consciente da **impermanência** de tudo nesta vida. Até mesmo a morte é impermanente.

Viver com sabedoria é saber diferenciar conscientemente o que é possível mudar ou não. É viver com neutralidade, confiando na conspiração do Universo.

Sabedoria adquire-se, desenvolve-se e com trabalho disciplinado, longo e com muito exercício. Depois de passar por esse caminho, ela será algo genuíno em sua vida.

O sábio está sempre no caminho e sabe que vai chegar à sua meta. Não porque a procura, mas porque sabe que irá evoluir e crescer.

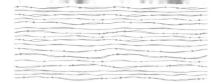

3 DE ABRIL

TIRE O PÉ DO ACELERADOR

Muitas vezes entramos na rotina frenética do fazer, fazer e fazer, da alta produtividade e nos esquecemos que a felicidade está nas pequenas coisas, está na percepção dos momentos de prazer em nosso dia.

Faça a experiência de se permitir uma pausa. Tire o pé do acelerador, desligue o piloto automático. Prepare um chá, sinta o aroma, deixe-se inebriar pelas sensações desse momento. Sinta o calor da bebida ao sorvê-la. Sinta esse momento de relaxamento. Quando você desacelera, abre espaço para sensação de felicidade e entra em contato com o seu Eu.

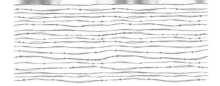

4 DE ABRIL

APRENDA A PENSAR

Muitas pessoas se enganam acreditando que o ato de pensar é uma atividade automática, como a respiração e as batidas do coração. Na verdade, precisamos aprender a pensar e a vigiar o que se passa em nossa mente.
O seu mundo interior é o que vai determinar o seu mundo exterior. Sua vida está nas mãos dos seus pensamentos. Já parou para observar o que ronda a sua mente? Invista energia e atenção nisso. Treine sua mente para elevar seus pensamentos para a bondade, a fé e a prosperidade.

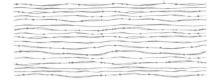

5 DE ABRIL

PRATIQUE O DESAPEGO

O que separa as pessoas da felicidade e da infelicidade? Do sucesso e do fracasso?

O que divide essas pessoas é uma linha, como a de costura. E o que impede as pessoas de atravessar essa linha? Apegos. Apegos a histórias, sentimentos e comportamentos que amarram.

As pessoas que se permitem acessar a coragem que está dentro delas, conseguem dar o passo rumo à sua verdadeira realização pessoal. Encontram o sucesso e a felicidade.

Meu conselho é que você faça uma relação das histórias e dos sentimentos aos quais se apegou durante sua vida. Quais deles lhe fazem mal? Quais deles lhe trouxeram crenças limitantes que nada têm a ver com suas atitudes? Elimine hoje os apegos sem sentido de sua vida e atravesse a linha para começar a caminhar de forma diferente e alcançar o que você merece.

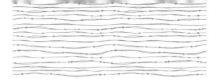

6 DE ABRIL

NÃO ABRA MÃO DO RESPEITO

O respeito é uma necessidade das relações e a maneira mais bonita de mostrar que você não se sente maior nem menor do que ninguém. Somos todos iguais perante Deus. Todos merecemos amor e consideração.

Viver hoje no respeito não tem sido fácil para muita gente, especialmente quando tantas opiniões divergentes vêm à tona pelas redes sociais.

Procure não rotular ninguém. Respeite o ponto de vista. Priorize a educação e a máxima: não faça com os outros o que não gostaria que fizessem com você. Não julgue, mesmo que seja julgado. Preserve-se e afaste-se de quem ainda não aprendeu a incorporar essa virtude em sua vida.

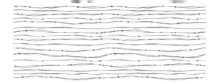

7 DE ABRIL

PRESERVE SUA SAÚDE FÍSICA

Seja sincero: o que você tem feito para cuidar do seu corpo material? Tem praticado regularmente uma atividade física? Quando foi que fez um check-up?

Cuidar da mente e da alma é importante, mas um corpo sadio também está a serviço dos seus ideais elevados.

Se você está bem, disposto, com saúde, consegue desenvolver seus potenciais intelectuais, relaciona-se melhor com as pessoas. O bem-estar físico nos torna melhores!

A maioria das pessoas só dá valor à saúde quando fica doente. Saia fora dessa média equivocada.

Os cuidados com o corpo nos proporcionam mais energia e disposição na luta pela realização de nossas metas e nossos objetivos.

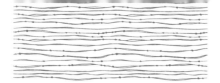

8 DE ABRIL

NÃO ACEITE O PAPEL DE VÍTIMA

Muitas vezes reclamamos demais e agradecemos pouco. Em vez de se "vitimizar", **mude** sua atitude. Olhe o que acontece na sua vida como um aprendizado. Seja positivo e agradeça por tudo.

Ao parar de se colocar no papel de vítima, você passa a olhar os problemas como oportunidades de aprendizado. Quando agradece até o que lhe acontece de ruim, seu coração se abre às pequenas bênçãos e as grandes maravilhas começam a acontecer.

Os milagres da vida já acontecem a todo tempo, mas muitas vezes as dificuldades nos deixam cegos e insensíveis a eles. Será que você já **sentiu** a proteção, a ajuda e o amor de todos os seres que fazem parte da sua vida?

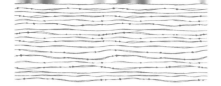

9 DE ABRIL

INSPIRE AS PESSOAS

"É preciso ser alguma coisa para parecer alguma coisa", dizia o compositor Ludwig Van Beethoven. Seja a razão pela qual as pessoas ainda acreditam na bondade e na generosidade.

Muitas pessoas precisam de exemplos. Precisam olhar para o outro e enxergar que uma postura fincada no bem e no equilíbrio traz evolução e felicidade. Aja de maneira que todos possam enxergar sua luz e se sentir motivados a encontrar a própria luz.

Fale coisas boas, seja positivo, coloque uma energia leve e traga alto-astral para quem está por perto. Quando você expressa sentimentos positivos, faz bem não apenas para os outros, mas especialmente para si mesmo. Experimente.

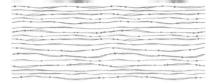

10 DE ABRIL

O SEGREDO PARA VIVER MAIS LEVE

Uma frase de Albert Einstein me toca profundamente. Ele dizia: "Existem duas maneiras de você ver a vida: uma é acreditar que não existem milagres e a outra é acreditar que tudo na vida é um milagre.".

Se tivermos humildade para olhar nosso entorno, realmente perceberemos que tudo é um milagre. Pare para analisar: chuva é um milagre, o Sol é um milagre que provoca milhões de milagres, o vento... A natureza é milagre o tempo todo.

Sinto que precisamos sentir mais gratidão por tudo isso que a vida nos apresenta. O meu convite é você olhar para sua vida e reconhecer quantos milagres ela vem lhe proporcionando.

Com isso, você vai viver mais em paz, mais leve, mais feliz.

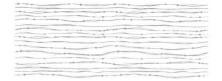

11 DE ABRIL

A DOR VEM PARA FLORESCER O AMOR

A dor, a tristeza e o medo são natos em nós e servem como purificadores do nosso ego.

Assim como eu, todos já vivenciaram momentos pelos quais viram ou experimentaram desastres naturais como terremotos, enchentes, incêndios.

Dessas situações nascem expressões de amor e solidariedade em relação ao próximo. As prioridades mudam...

A dor emocional serve para "baixar a bola" do ego e deixar florescer a nossa alma, para que nos leve ao encontro da nossa luz novamente.

Por isso, todos nós temos vontade de ajudar o próximo em momentos de dor ou sofrimento intensos.

Passou da hora de deixar de aprender pela dor e nos conscientizar de que existe também o caminho do aprendizado pelo amor.

É você quem faz esta escolha: aprender pela dor ou pelo amor.

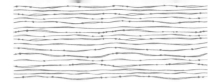

12 DE ABRIL

TODOS SOMOS UM

Qual é o aprendizado que devemos tirar dessa "crise mundial" e o que ela sinaliza para nossa mudança?

Acredito que de **todas** as formas e com **todas** as palavras ela nos mostra uma verdade: **todos somos um**.

A crise nos convoca a meditar, refletir, reavaliar nossa postura perante os outros, nossos valores, nossos princípios e nossa ética.

Se não nos conscientizarmos com essa crise de transformação mundial de que **todos somos um**, a coisa vai piorar.

Desejo de coração que todos tirem uma lição deste momento global. Que cada um de nós se transforme em um ser humano melhor.

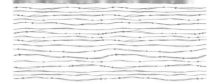

13 DE ABRIL

CUIDE DO SEU JARDIM

A vida nos impõe uma rotina que nos faz esquecer de cuidar das relações. Deixar isso para segundo plano como se as pessoas queridas pudessem sempre esperar mais um pouco. Como se, por estarem ali por perto, tivessem obrigação de entender.

No entanto, um jardim que não é cuidado, morre. Relações que não têm atenção vão minguando. Não é preciso muito, apenas que seja de verdade. Um beijo em quem você ama, um elogio a quem está sempre ali dando o seu melhor, um carinho, uma resposta... são maneiras de dizer: "Ei, eu me importo com você. Sou feliz por ter você na minha vida.".

Esses cuidados diários renovam o seu jardim.

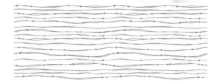

14 DE ABRIL

POR QUE FAZER SEMPRE O SEU MELHOR

Esteja sempre consciente de que você fez o melhor que pôde naquele momento, naquela situação, com os recursos que tinha. Assegure-se disso.

Dedique-se a fazer o melhor não pela necessidade de reconhecimento, mas por agir de acordo com seus valores, seus princípios e suas crenças.

"Fazer o melhor" é só uma frase, mas significa que, em **todas** as ocasiões da nossa vida, precisamos agir de forma emocionalmente inteligente, colocando em prática um versículo Bíblico: "Orai e vigiai.", para mais tarde não nos arrepender dos nossos erros, das nossas atitudes ou decisões.

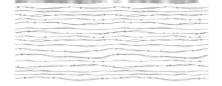

15 DE ABRIL

QUEM É O PROTAGONISTA DA SUA VIDA?

Você tem sido o protagonista na construção da sua história ou simplesmente coadjuvante?
Acredito que você é o projetista da sua vida e o principal executivo para fazer dela um sucesso.
Um detalhe que pode fazer diferença, é imaginar que todas as suas experiências, positivas e negativas, boas e ruins, tristes e alegres, de sucesso e de fracasso, são como uma tapeçaria gigante. O padrão de sucesso ou fracasso, alegria ou tristeza é você quem vai determinar.
Você pode criar um tapete mágico para levá-lo às alturas. Use suas lembranças a fim de fortalecer seu estado de espírito, para fazer da sua vida uma obra-prima.

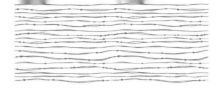

16 DE ABRIL

A IMPORTÂNCIA DA PAZ

O *Evangelho da paz dos Essênios* começa assim: "A Paz é a chave de todo conhecimento, de todos os mistérios, de toda a vida.".
Acredito que a Paz seja de uma importância infinita no mundo atual.
Na ausência da Paz, podemos perder o que havíamos conquistado.
Na presença da Paz **todas** as coisas são possíveis: o amor, a compaixão, o perdão.
A Paz é a origem de tudo.
Quero fazer um pedido a você: encontre a Paz dentro de si, para que essa Paz possa servir de exemplo para outras pessoas e, consequentemente, para o mundo.
Como diz Dalai Lama: "Precisamos ser a mudança que queremos ver no mundo".

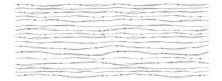

17 DE ABRIL

TENHA UMA CERTEZA INABALÁVEL

Em alguns momentos da vida, titubeamos em nossos pensamentos, deixamos os acontecimentos ao sabor do vento, como se não tivéssemos controle das situações. Na verdade, a vida não acontece ao acaso. E se o seu mundo é resultado dos seus pensamentos, coloque certezas em sua mente.

Quando você se propuser a fazer algo em que acredita, coloque em suas possibilidades somente as chances de aquilo dar certo. Firme seu pensamento para o melhor, para o excelente, para a felicidade, para o resultado positivo no final.

Não deixe que nada tire de você a sua certeza. A vida nos testa o tempo inteiro, especialmente em momentos de grandes mudanças. Manter-se inabalável é o mérito de chegar aonde qualquer um poderia duvidar. Menos você.

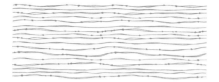

18 DE ABRIL

SINTA QUEM ESTÁ DE VERDADE COM VOCÊ

Leia e reflita sobre esta mensagem de Dalai Lama: "Quando você se abrir espiritualmente, faça-o somente para alguém em quem confie do fundo do seu coração, alguém bem próximo de você. Este tipo de abertura é um passo importante para a superação dos problemas espirituais.".

Escolha as pessoas certas para quem vai abrir o seu coração.

Sinta a intenção verdadeira de quem está querendo ajudar simplesmente porque quer ver você feliz e vibrando no máximo da sua plenitude. Entregue os segredos da sua alma apenas para quem realmente está disposto a ser solidário com você e ajudá-lo em sua jornada evolutiva.

Não fale o que sente a qualquer um. Baú aberto não protege o tesouro.

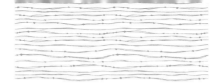

19 DE ABRIL

SERÁ QUE SOMOS MESMO CIVILIZADOS?

Os índios sao chamados de selvagens, mas acredito que são muito mais civilizados do que nós para se relacionar com a natureza e com o Universo.

Leia com atenção um trecho do texto *The Invitation*, inspirado por Sonhador da Montanha Oriah, um ancião índio americano, e inspire-se:

"Não me interessa saber o que você faz para ganhar a vida. Quero saber o que você deseja ardentemente, se ousa sonhar em atender aquilo por que seu coração anseia.

Não me interessa saber a sua idade. [...]

Quero saber o que o sustenta a partir de dentro, quando tudo mais desmorona.

Quero saber se consegue ficar sozinho consigo mesmo e se, realmente, gosta da companhia que tem nos momentos vazios".

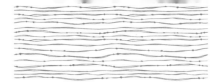

20 DE ABRIL

PONHA LUZ EM SUAS QUALIDADES

Vivemos em um mundo de comparações. Um mundo competitivo em que a grama do vizinho parece sempre melhor do que a nossa. As qualidades dos outros parecem mais importantes e evidentes. Não há problema nenhum em admirar o outro. Pelo contrário! Ver os talentos das outras pessoas é uma atitude de amor.
O problema é que, ao evidenciar as qualidades dos outros, muitas vezes caímos na ilusão de evidenciar nossos defeitos. Você nasceu com qualidades infinitas, boas intenções. Ainda que precise aprimorar algumas coisas, é só dando valor e atenção a elas que ficará melhor no que já é. Para completar, você vai dar a sua melhor parte para o mundo.

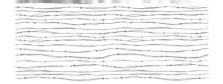

21 DE ABRIL

COMO VAI A SUA CORAGEM?

"O que a vida quer da gente é coragem", já dizia Guimarães Rosa, em sua obra *Grande Sertão: Veredas*. Muitas vezes, somos colocados à prova. Em certas ocasiões, dá vontade de desistir diante dos desafios que temos pela frente. Nessas horas, você precisa fortalecer o seu pensamento.

Ative sua determinação, insista um pouco mais. Você só precisa de mais um pouco de fé em si mesmo para chegar lá!

Aja sempre acreditando que vai conseguir. Se sentir que precisa parar, pare consciente de que isso é estratégico. No entanto, nunca coloque sua coragem em xeque, ela é a sua fortaleza.

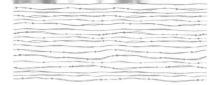

22 DE ABRIL

CUIDAR DAS EMOÇÕES É CUIDAR DO CORAÇÃO

Quando estamos sob o estresse emocional, existe forte tendência em expressar isso com irritabilidade e mau humor. Se não procuramos lidar com a fonte do estresse, todo o nosso corpo passa a reagir aos estímulos desses sentimentos ruins. Quando nossa mente fica sob essas circunstâncias, sofremos com insônia e isso pode chegar a problemas cardíacos e hipertensão.
Portanto, olhe com amor para suas emoções. Encontre a origem do que o faz se sentir nervoso, impaciente. Retorne a seu centro de saúde mental e assim o seu físico também retornará ao equilíbrio.

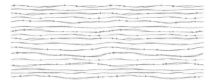

23 DE ABRIL

SEU CORPO PRECISA DE MOVIMENTO

O corpo humano é uma máquina interessante, que fica melhor conforme vai sendo mais usada. Os músculos se tornam mais fortes se exercitados. O coração trabalha melhor se fazemos atividades aeróbicas. Saia do sedentarismo para tornar seu corpo mais vivo e disposto, isso diminui o estresse, torna seus pensamentos mais claros e aumenta sua produtividade

Traga essa realidade para sua vida. Vença a preguiça com disciplina e faça as atividades em benefício próprio. Não é preciso superar os limites dos outros. Apenas faça por sua evolução e seu bem-estar.

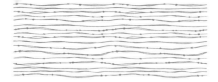

24 DE ABRIL

ESTÁ TUDO CERTO COM VOCÊ!

Tenha confiança de que está tudo certo porque o Universo conspira a seu favor sempre.
Assim, não há nada de errado com você. Você não está quebrado, não precisa de conserto.
Se você evita constantemente a rejeição, seu cérebro está simplesmente fazendo um trabalho eficaz para protegê-lo da dor.
No entanto, evitar completamente seus medos e apreensões, também causa dor.
Para criar um novo comportamento, você deve simplesmente "fazer uma ligação". Os recursos de que você precisa para mudar qualquer coisa em sua vida estão dentro de você, só esperando para serem utilizados.

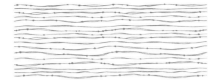

25 DE ABRIL

ESCUTE COM SUA ALMA E COM AMOR

Somos dotados de um dom maravilhoso que é a arte de **escutar**.
No mundo atual, porém, na correria, no estresse em que muitos vivem, abandonamos essa capacidade.
Através da arte de escutar, nosso Espírito se enche de Fé e Sabedoria para reencontrar a alegria, o equilíbrio. É importante escutar as outras pessoas quando elas falam e também ouvir o que diz o seu silêncio.
Reaprender a escutar exige respeito às crenças alheias, amor incondicional...
A arte de escutar coloca-o no caminho da luz, enche-o de sabedoria. Adquirimos uma riqueza que jamais nos será tirada.
Escute com a alma e aprenda.

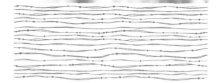

26 DE ABRIL

O FRIO NA BARRIGA É SEU ALIADO

Quando teve de falar diante de um grupo você sentiu frio na barriga? O coração veio à boca e disparou? A respiração ficou ofegante? As mãos tremeram?

Se eu disser que a maioria, se não todas as pessoas sentem essas sensações, você acreditaria? Pois é a pura verdade. No entanto, por que algumas pessoas sabem usar tudo isso a seu favor?

Eu mesmo, antes de começar qualquer treinamento, sinto tudo isso e um pouco mais; mas aprendi ao longo desses anos a usar essas emoções a meu favor.

Como? Sinto tudo isso como uma coisa natural, um sinal que me faz estar mais preparado para o que vou fazer. Lembro-me sempre da fala de um grande mestre: "No dia em que não sentir mais essas sensações antes de começar, pode parar porque sua carreira acabou.".

Experimente da próxima vez usar este fluxo de energia como excitação e não como medo.

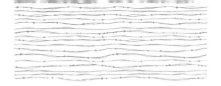

27 DE ABRIL

COMECE A SER FELIZ HOJE

Muitas vezes temos sonhos que parecem muito distantes ao olhar para a nossa realidade atual. Como chegar a eles?

Olhe para dentro de si e se pergunte: por que quero realizar esse sonho? Que sentimentos quero ter ao chegar lá? Dessas sensações que deseja experimentar, quais delas pode começar a sentir desde já, recorrendo a algo que está próximo? Será que você precisa mesmo ganhar milhões para poder se dar ao luxo de curtir mais os seus filhos? Será que você precisa mesmo estudar fora do país para ter acesso ao conhecimento quando o acesso à informação foi democratizado pela internet?

Você pode se surpreender ao ver que muito do que você busca sentir está mais acessível e próximo do que imagina. Comece hoje a viver e ser feliz.

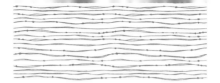

28 DE ABRIL

COMO VOCÊ TEM USADO O SEU TEMPO?

Não existe possibilidade de armazenar o tempo para usá-lo depois. Não podemos poupá-lo para usar na nossa velhice.

Você tem **investido** no tempo para sua conscientização ou tem perdido tempo? Tem usado o tempo a seu favor ou o tem jogado fora?

Tempo é o único limite real do ser humano.

Sinto que a grandeza do ser humano, e uma das qualidades em relação a outras espécies vivas, é justamente ser dona do seu tempo, se tiver consciência. Dessa forma, ela mesma tem o poder de se criar.

Acredito que só existe uma maneira de dar um salto quântico de evolução: conscientizarmo-nos de que é nesta hora, neste momento, neste tempo, **agora**, que podemos nos tornar conscientes de alguma coisa e "dominá-la", curá-la.

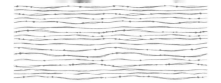

29 DE ABRIL

PERGUNTE A SI MESMO

Acredito que para as nossas perguntas internas, já temos as respostas. Só precisamos nos ouvir mais.

As perguntas inteligentes deslancham num processo que tem impacto muito além da nossa imaginação. Por exemplo: questionar as nossas limitações pode derrubar os muros nos negócios, nos relacionamentos...

Se refletir, você poderá sentir que **todo** progresso da humanidade veio de perguntas novas e inteligentes.

Qual é a pergunta que você fará a si mesmo para obter respostas que melhorem a sua qualidade de vida?

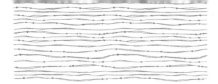

30 DE ABRIL

O QUE O TORNA ÚNICO E INSUBSTITUÍVEL?

Fico imaginando a quantidade de respostas que possa me dar.
O fato é: você é o maior milagre da natureza e é **único**, não existe outro igual.
Sente coragem para assumir isso?
Um dos aspectos de sua singularidade são as suas experiências de vida.
Absolutamente tudo o que você já vivenciou nesta vida fica registrado não somente na sua memória consciente, mas também no seu sistema nervoso.
Imagine um gigantesco arquivo. Esse é o seu cérebro... Tudo o que você viu, sentiu, escutou, vai sendo armazenado nesse arquivo.
Todos nós nos baseamos nessas experiências para ter certeza no que vamos acreditar ou não, são elas que norteiam as nossas crenças. Elas dirão quem somos e do que somos capazes.

MAIO

1 DE MAIO

TAREFA DE VIDA

Com certeza você tem uma **tarefa de vida**.
Quando nós assumimos com responsabilidade o que nos é atribuído, ajudamos a humanidade.
Responsabilidade é a habilidade de responder, com nossos talentos e nossas capacidades, o que nos foi atribuído por Deus. Ignorar isso é transformá-la em peso.
Nossos talentos nos são oferecidos para compartilhá-los e para tornar nosso Universo melhor a cada dia.
Como você vem usando os talentos que lhe foram ofertados? Quanto dos talentos que Deus lhe deu você tem colocado à disposição da sua família, dos seus amigos, da sua comunidade, do seu universo?
Qual sua missão nesta vida?

2 DE MAIO

A SUA FELICIDADE É PARA HOJE!

Todas as pessoas, cada uma do seu jeito, procura formas de ser melhor a cada dia.

Imagino que muitos de nós fomos enganados. Ou seja, aprendemos que **um dia**, quando todas as coisas certas acontecerem, finalmente seremos felizes.

Quando encontrarmos o parceiro ideal... quando tivermos dinheiro suficiente... quando nosso corpo estiver perfeito... quando tivermos filhos... quando nos aposentarmos...

Não é o que você ganha que vai fazê-lo sentir-se bem, e sim o aprendizado de como mudar seu estado mental em um instante. A sua felicidade vem do significado que você dá a tudo o que deseja, do modo como olha e sente o mundo.

Afinal de contas, por que você quer qualquer dessas coisas? Por que esperar um dia? Comece por si mesmo.

Você merece ser feliz já!

3 DE MAIO

TOME UMA DECISÃO COM AÇÃO CONVICTA E REALIZE

Imagine, sinta o que uma **decisão** seguida de **ação convicta** pode gerar.

A ação convicta é carregada de uma força gigantesca capaz de mudar o mundo.

Por exemplo, Mahatma Gandhi: advogado por profissão, pacifista por convicção, um homem pacato e modesto. No entanto, sua **decisão** pela não violência e sua **crença** nisso para ajudar a Índia a recuperar o controle pôs em movimento uma corrente **poderosa** de eventos que "derrubou" um império.

Muitos achavam que o sonho de Gandhi era impossível, mas o compromisso contínuo e sua convicção transformaram-no em realidade. O grande segredo é ter a coragem de assumir um compromisso público tão forte que o impeça de recuar.

O que **você** pode realizar se tomar uma decisão com ação convicta?

4 DE MAIO

VIBRE EM ALEGRIA

Já experimentou sentir prazer em **tudo** o que faz?
Muitas vezes entramos em um ritmo tão acelerado, deixando a rotina nos consumir, que simplesmente entramos no automático e tudo passa ser muito normal e comum.
Experimente **sentir** cada movimento que você faz.
Como você caminha?
Como você se expressa?
Como você se alimenta?
Você presta atenção em como está respirando?
Tem consciência da sua presença durante todo o seu dia?
Procure fazer cada uma dessas ações, cada **movimento** com **prazer**, com **alegria** para você e para o seu corpo.
Faça isso e perceba a diferença em você e no seu entorno.

5 DE MAIO

ESCOLHA O QUE SENTIR

Tanto faz se acontece alguma coisa fora do seu "script", se a rua está interditada ou se você acordou resfriado, seu carro quebrou...

Você escolhe o que sentir em relação a qualquer evento da sua vida. Pode ficar com raiva, nervoso, ansioso ou pode dar um significado diferente aos eventos.

Nessas horas, pergunte-se: que sensações isto me traz, que aprendizado posso ter com a experiência?

Você pode ser dono dos seus sentimentos, reconhecer cada emoção e apossar-se dela.

Isso faz com que reconheça em si os comportamentos positivos e também aqueles que o limitam... Escolher seus sentimentos é escolher a forma de agir. Escolha os comportamentos que lhe fazem bem e torne-os um hábito em sua vida.

6 DE MAIO

VOCÊ NÃO PRECISA ESTAR CERTO O TEMPO TODO

Muitas vezes temos vontade de fazer valer nosso ponto de vista custe o que custar, mas nem sempre esse empenho vale a pena.
Não se apegue a ideia de que é necessário estar sempre certo.
Aceite mais o ponto de vista das outras pessoas e livre-se da competitividade nas suas relações.
A partir do momento que você conseguir abrir mão da batalha para ter razão sempre, sua mente ficará mais tranquila e você encontrará a verdadeira paz de espírito.

7 DE MAIO

A MÁGICA DO SILÊNCIO

Uma das práticas que precisamos aprimorar é a do silêncio. Estamos acostumados a falar e nos comunicar. Somos cobrados a nos expressar o tempo todo. No entanto, a arte de não falar é um importante exercício para despertar a sua verdade interna.

O silêncio tem o poder da sabedoria e do autoconhecimento. A capacidade de não falar e se sentir bem sem dar sua opinião a todo momento expressa autocontrole e mostra que você é o Mestre de si mesmo. Fique em silêncio e se observe. Você vai sentir uma força capaz de mudanças profundas.

Ficar em silêncio é desenvolver o seu poder interno.

8 DE MAIO

ESCUTE SEU CORAÇÃO

"Um velho peregrino estava caminhando pelas montanhas do Himalaia, no cortante frio do inverno, quando começou a nevar, disse-lhe o dono de uma hospedaria: 'Como conseguirá chegar lá com este tempo, meu bom homem?'
O velho respondeu alegremente: 'Meu coração chegou lá primeiro... desse modo, é fácil para o resto de mim segui-lo'."
Você sempre estará onde o seu coração estiver!
Escute o seu coração. Ele sabe o que é bom para você. Ele não mente para você.

9 DE MAIO

A CURA PELA GRATIDÃO

A gratidão pode curar doenças psicossomáticas e crônicas, mas pode principalmente curar as dores da Alma como tristeza, solidão, melancolia, baixa autoestima e ansiedade.

A quantas pessoas você poderia demonstrar sua sincera gratidão pela ajuda, pelo companheirismo, pelos anos de dedicação?

Expressar sua gratidão de Alma demonstra uma força poderosa, além de ser um atributo natural da mente voltada para a prosperidade.

Desenvolva o hábito de agradecer por **tudo** e acionará a energia curativa do Universo e mudará as circunstâncias e o ambiente a sua volta.

Quando nos tornamos gratos, recebemos mais. Essa é a lei da natureza.

Cultive esse sentimento, sintonize com as vibrações puras de Deus e verá que muitos dos seus problemas com certeza diminuirão. Talvez sejam até eliminados!

E você receberá graças divinas.

10 DE MAIO

RECUPERE SUA ENERGIA NA NATUREZA

Desperte a sua percepção para observar mais a grandiosidade do mar, a imponência das montanhas, a riqueza da vegetação, a delicadeza das flores, o curso dos rios, a força das cachoeiras. Deleite-se com o canto dos pássaros, sinta carinho pelos animais. Sinta uma conexão profunda com Deus, que criou o Universo tão pleno de milagres. Sinta-se parte do nosso planeta.

Uma maneira de estabelecer essa relação com a natureza é pela prática da meditação e do relaxamento. Esses exercícios purificam os seus padrões mentais, limpam a mente das emoções e de sentimentos negativos. Tornam você mais perceptivo e sensível às belezas da natureza que revigoram sua energia.

11 DE MAIO

NÃO QUEIRA TUDO DO SEU JEITO

Sabe aqueles momentos em que você planeja que as coisas aconteçam de uma maneira, porém elas não seguem a sua expectativa?
Não se irrite, não se deixe levar pela frustração nem pela ansiedade. Em vez disso, procure se desprender da ideia fixa de achar que só existe uma maneira de algo se realizar. Pense que é muito provável que você não esteja vendo todos os aspectos dessa situação e que certamente há um plano melhor do que você imagina o esperando.
Como diz Deepak Chopra: "Desvencilhar-se de determinado resultado deriva da confiança na inteligência do Universo e na sua ligação com ele".

12 DE MAIO

O PREÇO DA LIBERDADE

Liberdade é poder ser você mesmo.
É fazer aquilo de que você gosta, não dever satisfações a ninguém. Muitas vezes, pelas circunstâncias da vida, nós nos colocamos em situações que nos privam da liberdade.
Um cargo de poder que não traz realização, um salário alto para um trabalho que não faz mais os olhos brilharem, o status de uma vida que não lhe traz felicidade, a segurança de um casamento que não existe mais...
É preciso romper com o que não lhe serve mais para sentir a liberdade de ser quem você é na essência.

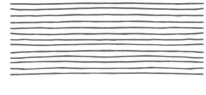

13 DE MAIO

A PERFEITA IMPERFEIÇÃO DAS MÃES

A imperfeição de nossos pais nos ajuda a nos tornar pessoas menos imperfeitas. Não sei se você ainda tem a sua mãe neste plano terreno, nem quais são as imperfeições dela, mas acredito que essas imperfeições são perfeitas para você. Entende isso?

Elas são perfeitas para o seu processo evolutivo. Não sei qual a relação que você tem com a sua mãe, mas espero que daqui para a frente seja de aceitação e amor incondicional.

Que o nosso coração possa estar aberto para a verdadeira experiência do amor. E se, por em algum motivo, você ainda não estiver andando pelo caminho do amor quero lembra-lo de que é possível andar por outro caminho. A **escolha** é sua!

14 DE MAIO

EXPRESSE SEU AMOR

Se você ama, não guarde esse sentimento para si. Diga que ama. Não economize nas palavras. Nem ache que não precisa mais dizer.

Amor é expressão divina, amor nutre. Envolva as pessoas que fazem parte da sua vida com a sua capacidade de amar. Certamente, ao criar essa atmosfera de afeto, você vai sentir um ambiente com abundância de alegria e de bons sentimentos. E entrará num fluxo de dar e receber amor.

Para viver no amor é preciso fazer a sua parte!

15 DE MAIO

CUIDE DO SEU NINHO FAMILIAR

Você sabe o que é essencial para ter uma família estruturada e feliz? Você sabe do que seus filhos precisam? E seus pais?

Muitas pessoas colocam em primeiro lugar em sua lista de prioridades a satisfação material. Criou-se uma ilusão de que dar muitos presentes é sinônimo de dar felicidade. Isso passou até a ser cultural. E muitas famílias se cobram por isso. Querem comprar amor.

No entanto, o amor não tem preço. O amor não vem embalado num papel de presente, numa caixa. Ele vem em forma de atenção, acolhimento, escuta, olho no olho. É a troca, o cuidado, o querer estar junto.

Guarde isso e reflita: o que você pode começar a fazer hoje para cuidar do seu ninho familiar?

16 DE MAIO

DE NADA ADIANTA SOFRER NO SOFÁ DE CASA

Antigamente, eu sofria muito com as dores que assistia no mundo. Pessoas vivendo na pobreza, nas guerras, com fome, sofrendo maus-tratos, abandono... Sentia muita dor. Ficava revoltado, mas logo me dei conta de que não adiantava ficar deprimido com todas aquelas situações.

Eu precisava era fazer algo para melhorar o mundo, usando os dons que Deus me deu. Entender mais de perto a dor das pessoas que precisam de ajuda e de fato ajudar. Com dinheiro, mas também com amor, atenção, conhecimento.

Não sofra, aja. Somos agentes da mudança que queremos ver no mundo.

17 DE MAIO

O AMOR INCONDICIONAL

Falar em amor incondicional se tornou algo muito comum, até mesmo banal, a ponto de as pessoas perderem a dimensão do seu significado mais verdadeiro.

Entendo o amor incondicional como neutralidade, e não como insensibilidade. Sua origem é a fé inabalável de que o melhor sempre acontece. Faz com que nos desprendamos de condições para ser felizes, de ter condições para amar. É como se a nossa voz interior dissesse: "Não importa como seja, o que faça, como reaja, o que seja... eu vou amar mesmo assim. Eu vou dar o meu melhor, porque não existe outro sentimento possível que não seja o amor". Praticamos esse sentimento quando queremos que aconteça o melhor, independentemente da situação.

18 DE MAIO

VOCÊ USA SUA FORÇA INTERIOR O TEMPO TODO

Desafios são oportunidades de evolução, mas isso não quer dizer que sempre será preciso viver um caos existencial para testar nossa força interior.

Talvez você se considere impotente, julgue que nunca foi vencedor em nada, que jamais conseguiu superar dificuldades, e nem sabe de onde tiraria forças para tudo isso.

Se tem essa sensação, não fique apenas no plano das ideias e faça um exercício. Liste os momentos da sua vida em que viveu grandes mudanças positivas.

Lembre-se de como conduziu essas mudanças. Quais escolhas foram acertadas? Como se sentiu depois delas? Estou certo de que você vai concluir que sua força interior é muito maior do que imagina.

19 DE MAIO

NÃO DÊ CHANCE PARA A DÚVIDA

Quem é pessimista não conquista o que quer. Se você já começa um projeto achando que será um fracasso, se abre sempre uma janela para a possibilidade de as coisas darem errado, pronto: para você o insucesso é uma verdade.

Se você tem um projeto com um objetivo definido, não pode deixar a dúvida passar perto. Acredite em si mesmo e em seu merecimento para realizar esse sonho.

Desejar vencer não basta. É preciso ter convicção, sentir com toda a sua emoção e toda a sua alma. Assim a vitória vai sorrir para você.

20 DE MAIO

RECOLOQUE SUA VIDA EM SUAS MÃOS

Responda com sinceridade: Como está a sua vida?
Se sua vida está ótima, use ótima. Se está parada, use parada. Pense nos melhores adjetivos para seu momento.
Em seguida, dê um passo adiante e seja mais específico mapeando cada ponto da sua vida. Certamente haverá áreas em que você não mudaria nada e outras que precisam de uma boa reforma. De quem é a responsabilidade de tudo o que você está vivendo? Pode até parecer que há influência de outras pessoas, mas o fato é: tudo o que acontece está em suas mãos – e você tem todo o potencial para mudar o que não vai bem.
Ter consciência disso é o primeiro passo.

21 DE MAIO

CORTE O FLUXO NEGATIVO

Quando alguma coisa não vai bem, a tendência de muitas pessoas é entrar em uma vibração energética negativa. Dessa forma, abrem os canais para o que está ruim ficar pior.
Existe uma crença de que desgraça atrai desgraça. E como tudo o que pensamos acaba se tornando realidade... a profecia se concretiza. Contudo, o oposto também é verdadeiro. Coisas boas atraem coisas boas.
Quando estiver em um momento de desespero, fique em silêncio, mude sua faixa de vibração para a paz. Conscientize-se de que você atrai a mesma energia que emana. Então, visualize novidades boas surgindo. Não se deixe levar pelo fluxo negativo dos últimos acontecimentos, corte-o e use-o como um alerta para retornar à luz e à positividade.

22 DE MAIO

O PODER DO ABRAÇO

O abraço é uma expressão de carinho, acolhimento, querer bem.

É uma forma de aquecer o coração e dizer: estou com você para o que der e vier.

Um abraço tem o poder de transformar o interior de uma pessoa. Traz coragem para quem está inseguro. Traz sentimento de pertencimento para quem está se sentindo só. Traz calma quando alguém está angustiado.

Se não sabe o que dizer, expresse solidariedade com um abraço forte e verdadeiro. Se já disse tudo, abrace e reforce aquilo que diz sentir.

Abraço é toque, é troca de energia.

Ele diz mais que mil palavras.

23 DE MAIO

VIVA O PRESENTE

Uma das razões do sofrimento humano é a dificuldade de viver o presente.

Nós nos apegamos à saudade de tempos que não voltam mais, lamentamos situações que já ficaram no passado.

Ao mesmo tempo, esperamos o próximo grande acontecimento.

Nossa vida fica ocupada com o passado e o futuro, e deixamos de viver o único momento que temos de fato em nossas mãos: o presente.

Reflita: antes de ter filhos você sonhava com eles e agora não vê a hora que cresçam para dar menos trabalho? Antes de ser promovido você vivia sonhando com o novo cargo e agora reclama porque tem responsabilidades demais?

Pare, pense e avalie se está sempre vendo o seu presente como insatisfatório. Se for esse o caso, procure se reconectar com as boas sensações do seu dia a dia e viva o presente por inteiro.

24 DE MAIO

QUAIS AS REGRAS DO SEU JOGO DA VIDA?

Temos uma cartilha de regras que criamos para viver. A partir delas, avaliamos a conduta das pessoas e a nossa.
Quando alguém infringe essas regras que temos como verdades absolutas, nós nos sentimos ofendidos, julgamos.
Quando somos nós mesmos que saímos e nos desviamos dessas regras, sentimos culpa e nos punimos.
Antes de se indispor com alguém ou consigo mesmo, faça uma análise das suas regras internas e avalie o que vale mais: o simples cumprimento delas ou ficar em paz com os demais e consigo mesmo?
Muitas vezes, as regras existem mesmo quando não servem mais.

25 DE MAIO

NÃO SINTA PENA

Tudo o que acontece nesta vida não é por acaso. Nem mesmo o sofrimento.

Todas as situações vêm para trazer um aprendizado para nossa evolução.

Em nossas experiências pessoais, procuramos aplicar essa reflexão e buscar o sentido de uma dificuldade. Contudo, quando se trata de ver o outro sofrendo nem sempre é fácil olhar sob a mesma ótica.

Ver um filho sofrendo, um pai precisando de ajuda, um amigo querido passando por necessidade traz um sentimento de pena. Troque isso por compaixão.

Compaixão é acolher e ajudar a pessoa a entender por que está passando por aquilo. É estar do lado dela, sabendo que ela vai aprender com aquela dor.

26 DE MAIO

VOCÊ NÃO NASCEU PARA SOFRER REJEIÇÃO

Vivemos hoje a ansiedade de ser aceitos.

Ninguém quer sentir que não agradou. As pessoas morrem de medo da rejeição. E como lidar com isso?

Em primeiro lugar, não se deixe afetar pela falta de tempo e pelas urgências do mundo que fazem com que você se torne um ser cada vez mais individualista. Somos essencialmente seres sociais, precisamos conviver. A vida é feita de trocas.

Além disso, olhe para dentro de si. Você se gosta? Gosta da pessoa que você é para o mundo. Muitas vezes, o medo da rejeição vem de uma baixa autoestima. A primeira pessoa que precisa aceitar você é você mesmo.

27 DE MAIO

PRATIQUE O CONTENTAMENTO

Você nasceu com o potencial máximo para ter alegria e prazer em tudo o que viver.

Quando tiver consciência de que tudo está acontecendo na hora e no momento exatos, você prestará mais atenção em cada aspecto positivo da sua experiência e verá neles o bem. Verá Deus agindo em cada situação.

Portanto, pratique a arte e aceitar o que a vida coloca no seu destino.

Viva o dia de hoje. Segure a ansiedade que deixa a vida passar em branco sempre esperando por uma experiência futura.

Preste atenção no que você faz, em como faz e curta a sensação de estar mais presente e consciente. Esse exercício fará brotar em você o contentamento e a certeza de que sua vida é abençoada.

28 DE MAIO

ELIMINE A VERGONHA DE SUA VIDA

Quando você se sentir envergonhado por algo que fez, volte para dentro de si. Qual é a origem desse sentimento? A vergonha surge como um alerta de que nos excedemos, passamos do ponto. Nesse caso, livre-se desse fardo pedindo desculpas para retomar a sua paz interior e o seu equilíbrio.

Agora, pode ser também que a vergonha surja pelo simples fato de você não se sentir à vontade em sua própria pele por falta de autoestima. Nesse caso, cultive o amor-próprio.

Você é um ser único e suas particularidades o tornam especial.

Quanto mais você se aceita e se conhece, mais você brilha.

29 DE MAIO

VIVA UM AGORA FELIZ

Um poema de Fernando Pessoa diz: "Se estiver tudo errado, comece novamente. Se estiver tudo certo continue. Se sentir saudades, mate-a. Se perder um amor, não se perca. Mas, se o achar, segure-o.".
Viva o hoje. Identifique o que lhe faz bem e cuide disso. Identifique o lhe faz mal e mude. Não deixe que sentimentos negativos se arrastem em sua vida. Deixe ir o que tem de ir embora, o que não lhe pertence mais.
Valorize quem está ao seu lado e lhe faz bem. Agradeça os milagres da sua vida. Siga o curso da vida sintonizando nos sentimentos que o colocam em harmonia.
Priorize a sua felicidade!

30 DE MAIO

MUDE DE FORA PARA DENTRO

Nem sempre a mudança deve vir da mente. Para mudar um estado mental ou sair de uma frequência negativa, você pode usar o seu corpo a seu favor.
Está triste? Vá caminhar no parque. Está deprimido? Coloque sua música favorita e comece a dançar. Anda se sentindo um fracassado? Endireite as costas, coloque os ombros no lugar, abra o peito e mude literalmente a sua postura para ter uma atitude mais confiante.
O seu corpo é expressão. Injete alto-astral nele e sentirá que os sentimentos ruins vão se dissipar.

31 DE MAIO

ARRISQUE-SE A VIVER

Você tem sonhos que ainda não colocou em prática? Deixamos nossos projetos de lado porque nos julgamos sonhadores demais. Talvez nos consideremos até iludidos por achar que tudo o que está em nossa mente vai dar certo.

Quem disse que não pode dar? Liberte seus pensamentos de autossabotagem e permita-se viver seus sonhos de vida. Quando você coloca à prova suas ambições, distancia-se de sentimentos tristes como frustração e arrependimento. Coloca energia nova no seu dia. Recupera a esperança e o brilho no olhar.

Melhor tentar, errar e mudar, reinventar-se do que passar a vida com uma vontade latente que não se concretiza por um medo interior.

JUNHO

1 DE JUNHO

RESPEITAR A MÃE TERRA

Existe uma beleza na espiritualidade e ela se deve ao fato de estar baseada em qualidades humanas que já possuímos. Ou seja, essa beleza está dentro de todos nós. Não vem de fora para dentro.
Temos de nos reconectar com a nossa essência divina.
Ao fazer isso, presenteamos nossa família, nossa comunidade e os que amamos com uma mensagem de vida e esperança que transcende tudo.
Muitos profetas nos viram em suas visões, lembrando-nos de que, ao respeitar **todas** as formas de vida, contribuímos para a sobrevivência de nossa própria espécie e para o futuro do único lar que conhecemos, a Mãe Terra!

2 DE JUNHO

DO QUE SÃO FEITOS OS MILAGRES?

Você sabe quais são os ingredientes necessários para os milagres acontecerem em sua vida? São eles: amor, paixão e entusiasmo. Quando coloca esses três sentimentos em algum objetivo, ele ganha vida e força.

Quando tiver um plano, não economize em seu envolvimento. Envolva-se de tal maneira que não encontrará espaço para o cansaço. Sabe quando está tão empolgado que perde a noção de tempo? Sabe quando sua paixão é tanta que contagia as pessoas ao seu redor?

Vibre nessa energia e o que parecia difícil começará a se tornar fácil, leve, gostoso...

Para isso, descubra o que faz seu coração bater mais forte. Quando você tem propósitos claros e definidos, nada abala sua convicção.

3 DE JUNHO

FAÇA PARTE DA SOLUÇÃO

Ou você faz parte do problema, ou faz parte da solução, ou faz parte da paisagem. Escolha. Faça parte da solução. Quem escolhe fazer parte do problema, prefere não aprender com os erros e repetir as mesmas coisas que já fez. Fica estagnado. Insistindo em um caminho que não traz frutos. Mantém-se no problema.

Quando você escolhe fazer parte da solução, você diz para o Universo: "A minha escolha é fazer a minha vida acontecer.". Não fique apenas olhando a paisagem, não deixe nada por viver nem por fazer.

Você tem uma tarefa com a humanidade.

Viva o melhor possível e complete sua vida!

4 DE JUNHO

COMO VOCÊ CONSEGUE RECONHECIMENTO?

Pare por um minuto e reflita: como as pessoas que convivem com você vêm pedindo carícias e reconhecimentos?
De que maneira você busca elogios, admiração e reconhecimento?
Todo ser humano vive em busca dessas demonstrações.
De certa maneira, jogamos para o outro a responsabilidade de nos entregar isso.
Se não obtivermos atenção positiva, vamos recebê-la de forma negativa, começamos a interpretar papéis para chamar a atenção.
Alguns conseguem fazer da insignificância dos seus problemas uma forma de ser significante.
Quantas vezes interpretamos papéis com objetivo de atrair e chamar a atenção do parceiro para nos sentir percebidos?
Racionalmente, intelectualmente é uma coisa absurda, sem lógica. Emocionalmente, porém, essas atitudes vêm do fato de termos uma criança interior muito carente, que continua presente em nossa vida adulta buscando atenção, amor e reconhecimento. Cuide dela para que possa curar o adulto que você se tornou.

5 DE JUNHO

DÊ O TROCO COM UM SORRISO

Quando alguém o fizer chorar, não devolva na mesma moeda. Em vez disso, procure transformar esse ressentimento em algo bom.

Ninguém é poderoso o bastante para fazer você se sentir triste. Mesmo que tenha visto a má intenção no olhar de alguém, não tome isso para si, não acredite ser vulnerável a energias negativas.

Encare a maldade do outro como algo que só existe porque aquela pessoa não está bem consigo mesma. De fato, ela é digna de dó. Ore por essa pessoa. Ela precisa de luz, de alegria. Nada melhor do que derrubar com um sorriso quem um dia nos derrubou com uma lágrima.

6 DE JUNHO

EVITE PESSOAS TÓXICAS

Você sabe identificar uma pessoa tóxica? É aquele tipo que adora entrar numa discussão, criar situações estressantes, tem atração por falar da desgraça alheia ou de tragédias em geral. Você não consegue ficar muito tempo conversando com esse tipo de pessoa sem se sentir para baixo, apreensivo, energeticamente sugado. Pessoas tóxicas aparecem a todo momento em nossa vida e cabe-nos conseguir identificá-las para neutralizar o efeito de suas atitudes.

Quando estamos bem, fica mais fácil manter a faixa vibratória na positividade. Quando estamos irritados, desequilibrados, ficamos mais suscetíveis. Portanto, fique em alerta para não se contaminar. Fique longe de quem esgota sua energia. E se por acaso entrar em algum conflito, retome a consciência e saia dele o mais rápido possível.

7 DE JUNHO

ABANDONE A MENTE

A mente é um instrumento maravilhoso, se usado corretamente. Um dos problemas, porém, é que ficamos obcecados por ela. Fomos educados para usar a mente e a pensar, mas não a sentir. Deveríamos integrar os dois lados: pensamento e sentimento.
Uma dica para isso é aprender a estar em profunda meditação.
"Abandone" a mente e sinta. Esteja e seja inteiro no que estiver fazendo.
Se você for dançar, **dance**; mas dance tão inteiro a ponto de não existir um único pensamento. Você será a dança.
Se for cantar, **cante**; mas seja a música.
Apenas sinta e **silencie a mente**, seja e escute o silêncio. Não permita que venha nenhum pensamento.
Se vai fazer atividade física, esteja ali de **corpo** e **alma**.

8 DE JUNHO

EVITE ACELERAR DEMAIS SEUS PENSAMENTOS

Vivemos um mundo de estímulos excessivos que podem deixar nossa mente congestionada de emoções, conflitos, desejos. As opiniões alheias, o excesso de informação disponível capaz de afetar nossa vida e nosso comportamento nos torna alvo de altos e baixos emocionais. A verdade é que criamos esses altos e baixos para nós mesmos.

Repare em como os sentimentos surgem em sua mente e permeiam o seu corpo. Quantos deles foram originados por suas crenças? Por uma interpretação que você fez? Por uma necessidade que você mesmo criou? Por um medo que você acha que faz sentido, mas talvez devesse questionar?

Nada justifica o excesso de emoções. Ele gera descontrole. Seja o Senhor de suas paixões, e não o escravo delas.

9 DE JUNHO

NÃO ALIMENTE A RAIVA

Todos estamos sujeitos a momentos em que o sangue esquenta e nossas emoções saem de controle.
Você já parou para pensar qual é o estopim dessas expressões de desequilíbrio?
Em vez de se deixar levar pelo ódio, entre em contato com o sentimento para investigá-lo.
O autoconhecimento faz parte da nossa jornada evolutiva. Olhe como um observador. Questione-se: "O que está me fazendo agir assim? Por que saí do sério?". Investigue a causa no fundo da sua alma. Quando encontrar a razão de todo esse sofrimento, reflita sobre como neutralizar o catalisador da dor dentro de você.

10 DE JUNHO

AJUDE SEU CORPO A TER MELHOR DESEMPENHO

Vivemos neste mundo em ritmo intenso. Sono agitado, excesso de comida. Pouca reflexão, muita ação, muito fazer. Muitas vezes impomos a nós mesmos um comportamento de robôs, que só produzem sem pensar.
Levando esse estilo de vida é inevitável que as dores físicas apareçam e os distúrbios psicológicos se instalem.
Torne-se mais consciente de como usa seu corpo. Escolha melhor seus alimentos, faça uma atividade física que traga corpo e mente de volta ao equilíbrio. Você é responsável pela manutenção do seu bem-estar físico e psicológico.

11 DE JUNHO

SUCESSO OU FRACASSO? A SUA ATITUDE DETERMINA

É bem provável que você já tenha escutado: "O relacionamento de fulano acabou porque tal fato foi a **gota-d'água**".

No entanto, não é a última gota que enche o copo, mas a primeira, somada à segunda...

Da mesma maneira, o sucesso e o fracasso não são o resultado de uma única ação. Sucesso e felicidade não caem do céu. Nós nos preparamos para ser felizes e bem-sucedidos.

Fracasso nada mais é do que um resultado. De não ter dado aquele telefonema, não ter feito um esforço a mais, não ter tido coragem para dizer eu te amo, não ter persistido.

Assim como o fracasso é resultado de decisões e pequenas ações, o sucesso também resulta da decisão de seguir em frente, persistir, ter coragem de expressar o seu amor. Quais ações simples você pode tomar hoje que trarão bons resultados, sucesso e felicidade para sua vida?

12 DE JUNHO

COMO ESTÁ O SEU RELACIONAMENTO AFETIVO?

O que você tem feito efetivamente para preservar ou melhorar seu relacionamento amoroso? Sua relação faz parte das suas prioridades?
Se seu relacionamento não estiver entre suas prioridades, entre aquilo que é mais importante na sua vida e você cuida todo dia, acabará sendo ofuscado por tantas outras coisas.
Como dizia Chico Xavier: "As tentações da vida são muitas e deliciosas.".
O desfecho você já sabe: o amor vai esfriar; a paixão se dissipará. O amor precisa ser regado, cuidado, cultivado. Sinta gratidão por quem está ao seu lado, trabalhe-se emocionalmente e faça o impossível para que essa pessoa sinta o seu amor.

13 DE JUNHO

EVITE O ESTADO DE APREENSÃO

Todos passamos por momentos de preocupação por algo que está por vir. Percebe como essa angústia antes da hora mina nossas forças e nossa autoconfiança?

Gera um esgotamento mental que atrapalha seu desempenho, não deixa você organizar seus pensamentos e gera danos tanto corporais como emocionais.

Comece hoje o seu treinamento para se desapegar dos problemas e permita-se sentir a felicidade.

Use seus pensamentos para o que é realmente necessário e veja quanta energia economizará. Não ocupe sua mente com questões sobre as quais você não tem controle ou não carecem de tanta atenção.

A energia poupada poderá ser usada para desenvolver seus talentos, sua criatividade e se sentir feliz hoje.

14 DE JUNHO

O QUE PRECISA MORRER EM VOCÊ?

O que deve deixar para trás para ser o melhor pai, a melhor mãe, o melhor profissional... um ser humano melhor? Reflita e responda com sinceridade.

Conhecer a si mesmo é o melhor caminho para chegar mais perto do que você realmente deseja. Faça perguntas como:

Sou muito inseguro e isso me impede de fazer o que gostaria de fazer?

Sou preguiçoso demais?

Desisto das coisas no meio do caminho?

Tenho autoestima baixa?

Não acredito que mereço estar onde estou?

O que eu menos admiro em mim?

O que me paralisa?

Reflita sobre essas questões. Pense no que deve deixar morrer para viver melhor.

15 DE JUNHO

VIVA NA JUSTIÇA

Vivemos tempos em que a justiça está sempre em pauta, mas o que é a justiça na essência?
É dar voz a todos e fazer com que direitos e deveres sejam cumpridos.
Ser uma pessoa justa é se despir de preferências, não dar espaço para exceções.
É olhar para a verdade por mais que ela doa. Ver o que é preciso manter e o que precisa ser mudado.
A justiça precisa ser igual para todos, porque é uma expressão de respeito a todas as pessoas que vivem em sociedade.
Quando você é justo, traz benefícios para si mesmo e para os outros. Não tem dois pesos nem duas medidas.
A justiça existe para que todos tenham oportunidades iguais no seu processo evolutivo.

16 DE JUNHO

QUANDO VOCÊ SE DOA, VOCÊ CRESCE

Ser solidário é tirar o foco de si mesmo para colocar o foco no outro. É praticar a empatia e tentar entender o que está coração do seu próximo.
Ser solidário é saber que não precisa de muito para ser feliz.
Ser solidário é se livrar do egoísmo, da inveja e da urgência de priorizar apenas os próprios desejos.
É se incomodar quando alguém não está bem e ter a vontade real de ajudar a melhorar a vida daquela pessoa.
É usar o seu tempo para dar atenção.
Quem é solidário é forte. Pessoas frágeis são aquelas que acham que se doarem algo, terão um pedaço faltando.
Na verdade, quando você se doa, só tem a crescer!

17 DE JUNHO

SEJA A VERDADE INTEIRA

A sua melhor versão é viver na sua verdade. Você sabe como encontrar a sua verdade? Ela é aquilo que está dentro de você gritando o tempo inteiro o que você tem de bom.

Sua verdade é aquilo que lhe faz bem. E ela precisa ser mostrada para o mundo.

Tenha coragem de não se esconder usando meias palavras. Seja a verdade inteira. A realidade só é feita do que é de fato. Do que realmente existe. É autenticidade, portanto, é a expressão a sua singularidade, a obra de Deus em você.

Sua verdade é o que faz de você único!

18 DE JUNHO

VOCÊ NÃO NASCEU PARA O INSUCESSO

Quando você não consegue corresponder às próprias expectativas fica com aquela sensação de fracasso?
Você tem facilidade para se criticar e acreditar que nada dará certo na sua vida?
Mude esse padrão de pensamento quanto antes.
As pessoas bem-sucedidas também vivem fracassos. A diferença é que elas não acreditam que nasceram para o insucesso.
Elas acreditam que o fracasso e o erro são aprendizados, são passos que fazem parte da jornada vitoriosa.
Pense positivo e não desista logo na primeira tentativa.
Continue tentando e se aprimorando.
Fracasso, na verdade, é jogar a toalha, é não tentar.

19 DE JUNHO

O PODER DA ORAÇÃO

Existem estudos e comprovações que mostram que a oração tem o poder de curar.
O que é oração? A oração é colocar a sua energia em uma intenção verdadeira. Acredite no poder da sua energia canalizada.
Os pensamentos são capazes de unir as pessoas mesmo quando elas estão distantes.
Quando você toma consciência do poder que você tem, quando entende que é mais do que seu corpo físico, pode emanar suas vibrações positivas para quem quer que seja onde quer que esteja.

20 DE JUNHO

IRRELEVANTE *VERSUS* FUNDAMENTAL

Todas as escolhas têm perdas.
Estamos em um mundo cheio de opções. Veja como isso está claro: o simples fato de viver em um lugar implica abrir mão de viver em todos os outros.
A escolha de conviver com determinadas pessoas implica abrir mão de estar com outras. Estamos no mundo material, limitados pelo tempo e pelo espaço. Portanto, decisões são necessárias. Precisamos ter discernimento e estar preparados para perder o irrelevante. E, assim, estar aptos a conquistar o fundamental.

21 DE JUNHO

VOCÊ ESTÁ AJUDANDO SEU SONHO A ACONTECER?

Imagine que o sonho de uma moça é casar e ter filhos.
Para realizar esse sonho ela deveria sair de casa, conhecer alguém.
Soa simples, porém, nem sempre é como acontece.
Muitas vezes, essa mesma moça faz coisas que não combinam com seus desejos.
Fica no trabalho todos os dias até tarde e nunca sai de casa. Vive reclamando que nenhum homem presta, logo, não aceita nem mesmo um convite para ir ao cinema...
Percebe que a realização de seu sonho está nas mãos dela?
E que, enquanto ela fizer escolhas que não combinam com seu sonho, será responsável por sua não realização?
Ao entender que as escolhas estão intimamente ligadas ao seu poder pessoal, sua vida fica muito clara.

22 DE JUNHO

O FLUXO DOS CICLOS DA VIDA

Reflita sobre as metáforas e as crenças que criou para sua vida.
Se possível, escreva-as. Elas podem gerar energia propulsora ou limitadora.
Por exemplo, quando as coisas não estão bem, muitos pensam: "que inferno, parece que isto não acaba mais...", "desgraça atrai desgraça...". Em vez de vibrar nessa energia, mude a frequência para um fluxo positivo. Exemplo: "a vida tem suas estações e agora é o inverno". Enquanto algumas pessoas congelam, outras brincam. Depois vem a primavera, época para plantar novas sementes! Depois, o verão e, finalmente, o outono, quando se colhe o que se plantou.
Às vezes, as coisas não acontecem como planejadas. No entanto, confie no movimento do Universo e lembre-se dos ciclos das estações.

23 DE JUNHO

ATIVE SUA CONSCIÊNCIA

Ter consciência é acionar a sua sensibilidade em relação ao mundo, sempre em busca de mais crescimento e evolução.
Estar consciente é ver em cada situação um aprendizado e exemplos do que vale a pena ou não.
Ter consciência é despertar. É ter disposição de enxergar o que a vida está nos mostrando.
É integrar o seu **eu** a tudo que está ao seu redor. Tenha consciência para potencializar seu poder interior.

24 DE JUNHO

RECLAME MENOS

Quando estiver angustiado, evite reclamar da vida. Não pense que o mundo é injusto. Nas dificuldades, fique em silêncio e agradeça. Então você verá a mágica acontecer.

Ao agradecer, o sofrimento passa. Surge uma luz que mostra o motivo por que aquilo precisa acontecer.

Se você se sentir contrariado, o sofrimento permanece. Ao aceitá-lo, ele se dissipa e uma nova realidade surge. Você se sente mais forte, enxerga os acontecimentos pelo ângulo da luz. Então, não se deixe abalar. Use o sofrimento como mais um aprendizado, um passo na sua evolução.

Veja o amor de Deus em tudo o que existe. Isso é um ato de fé.

25 DE JUNHO

FORTALEÇA-SE

Confie. Será feliz. É isso o que a vida está gritando para você todo dia. No entanto, primeiro, ela o fará alto.
Muitas vezes, só confiamos quando tudo vai bem. Nossa fé, porém, é comprovada no momento em que as coisas não vão bem. E mesmo assim, temos convicção de que dias melhores virão.
Essa convicção é a sua força interna, algo que você desenvolve ao longo da vida.
Assim como você estimula os músculos do seu corpo na academia, dando desafios em forma de alteres mais pesados para fortalecê-los, a vida também traz desafios. Eles também vêm para que você se fortaleça.

26 DE JUNHO

SEJA O DONO DA SUA VIDA SEMPRE

Existem muitos poderosos, famosos e ricos que não têm poder sobre si mesmos.

Mesmo que pareçam fortes e completos aos olhos dos outros, são apenas fantoches porque vivem de aparência, mostram uma grande ilusão, não são senhores de si mesmos.

Para ser o dono da sua vida por inteiro, você precisa ter consciência de que a vida que deseja depende da sua postura. Não depende de riquezas materiais, poder e fama, mas sim do que você faz com tudo isso.

Se você abre mão da sua liberdade de escolha, vira um refém. Seus sentimentos e suas intenções produzem uma energia capaz de construir ou destruir.

27 DE JUNHO

ACREDITE NO PODER DO DIÁLOGO

Nem sempre as pessoas com quem você convive têm o mesmo ponto de vista que você. Nem sempre vocês querem o mesmo. Isso, porém, não quer dizer que a melhor solução seja o conflito.

Usar insultos para defender seu ponto de vista e colocar agressividade em sua voz deixa o ambiente permeado de negatividade. Com isso surge mais um problema. Em vez de levar a conversa para a solução e trazer o consenso, você aumenta a tensão e eleva um ponto de desacordo, gera mágoa.

Acredite sempre que existe uma solução boa para todos, mesmo que não seja imediata. Quando demonstramos real intenção de solucionar um problema, considerando o bem-estar de todos, a solução aparece.

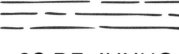

28 DE JUNHO

NÃO VIVA O QUE OS OUTROS DESEJAM PARA VOCÊ

Muitas pessoas questionarão se isso ou aquilo é mesmo bom para você.
Cada uma delas, por melhor que sejam suas intenções, tem uma interpretação particular de como deveria ser a **sua** vida.
Como a mãe que diz à filha para largar o trabalho e curtir mais os filhos. Ela não enxerga que, para a filha, a profissão é um sonho. Se abandonar a carreira para se tornar mãe em tempo integral, a filha se tornará infeliz.
Ou o homem exausto do meio corporativo que deseja uma vida mais simples perto da natureza. Ao compartilhar o desejo com amigos, pode ser visto como maluco.
Ninguém sabe melhor da sua vida do que você mesmo. Na hora de decidir o que fazer dela, consulte o seu interior e saberá o que fará você feliz.

29 DE JUNHO

PARA REALIZAR UM SONHO

Algumas histórias até me arrepiam quando assunto é sonho. Certa vez, em uma das minhas palestras, perguntei a uma senhora qual era seu sonho. Ela respondeu: "Separar-me do meu marido.".
Minha primeira reação foi julgá-la, pois não fazia sentido para mim.
Antes de dizer qualquer coisa, respirei, abandonei meus julgamentos e pedi: "Por favor, explique-me o porquê disso ser um sonho para você.". Então ela me disse que estava casada havia 23 anos, mas há 22 desejava se separar. Por todo esse tempo, ela estava amarrada a uma vida de infelicidade. Separar-se virou seu sonho. Como torná-lo realidade? Com um plano, tomando atitudes reais. E você? Que atitudes precisa tomar hoje para viver o seu sonho?

30 DE JUNHO

QUANDO UM CICLO SE FECHA

Quando a vida sinaliza que um ciclo está se fechando, aceite o fato e aproveite para renovar suas esperanças, dando-se a oportunidade de gestar novos propósitos e projetos de vida.

Vida é **fluxo**, é **movimento**...

Negar o que a vida nos oferece gera sofrimento.

Aceitação ao que a vida e Deus nos apresentam é uma libertação.

Acreditamos em tudo e queremos garantias de tudo.

Por exemplo, acreditamos que coisas e pessoas são nossas.

E a vida é tão sábia que não lhe dá garantia de nada nem tem data de validade.

Vamos confiar na vida, em Deus, e seguir em frente.

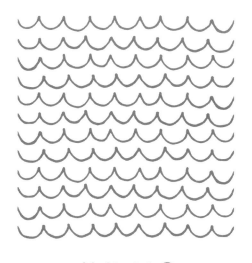

JULHO

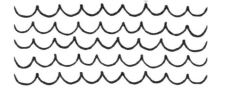

1 DE JULHO

O QUE VOCÊ QUER DAQUI PARA A FRENTE?

Chegamos à metade do ano.
Momento de olhar o que já realizou e o que quer para o futuro.
Acredito que estamos entrando numa fase para completar o caminho da cabeça ao coração — a maior distância que podemos percorrer.
As decisões que tomamos hoje afetarão diretamente o nosso futuro.
Por exemplo, se escolhermos agir com mais consideração com o próximo, se vibrarmos em amor, se tivermos mais compaixão, se formos um exemplo de paz... isso impactará de maneira altamente positiva o nosso futuro.
O que você quer para o seu futuro?

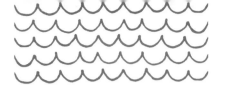

2 DE JULHO

EXERCITE A PACIÊNCIA

Para tudo o que não depende de você e não está sob o seu controle, o melhor remédio é a paciência.

Nem sempre temos "a faca e o queijo" na mão para a resolução de uma situação.

Quando estiver vivendo uma questão que precisa de tempo ou mais pessoas, essa é a sua deixa para acreditar no fluxo da vida, no plano do Universo para você.

Não significa ficar sentado, esperando a solução cair do céu, mas fazer um teste para controlar sua ansiedade e deixar as coisas se materializarem seguindo o próprio ritmo.

A paciência é a chave para todos os problemas que não dependem de você.

3 DE JULHO

A GRATIDÃO É UMA ENERGIA MUITO PODEROSA!

Você pode criar maneiras simples, mas funcionais, para agradecer. Escreva bilhetes para as pessoas com as quais convive e **agradeça-lhes**.
No final do dia, escreva as graças que recebeu e sinta gratidão por **tudo** o que lhe aconteceu.
Mental ou verbalmente diga: "Gratidão... gratidão..." ou "muito obrigado, Deus... muito obrigado, Deus...".
Abra-se às belezas da natureza. Sinta a beleza do mar, a energia e o poder de uma montanha, a perfeição e o aroma das flores, o voo dos pássaros... e agradeça a Deus pelo seu Universo e pela perfeição de tudo.
Cuide de si mesmo, ame-se, valorize-se e cuide efetivamente do meio ambiente.

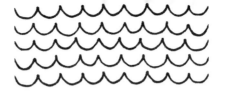

4 DE JULHO

MUDE DE CANAL

Se a programação de um canal da TV não está legal, você provavelmente a desliga ou **muda** de canal, não é?
Devemos fazer o mesmo com as frequências que queremos para a nossa vida.
Diariamente somos violentados com notícias que causam melancolia, indignação, raiva... Situações perversas, desprezo total pela honra, falta de exemplos para seguir. E sinto em muitas pessoas certo conformismo: "é a vida...", "essa violência nunca vai acabar...".
É necessário consciência de que não podemos eliminar o medo, a tristeza e a raiva, mas podemos vibrar na frequência da coragem, da calma, da alegria e do amor.

5 DE JULHO

PARA NÃO ATRASAR SUA FELICIDADE

Você coloca regras demais na sua vida? Regras ilusórias como: isso é para jovens, isso é para velhos, isso só se faz quando não se tem filhos, isso você só pode realizar depois de trabalhar muito. Criamos crenças limitantes que protelam nossa felicidade.

Sempre questione as regras/crenças que está colocando na sua vida. Veja se elas fazem sentido de verdade.

Não deixe para depois o que pode realizar hoje. Abra-se às possibilidades da vida! Segundo Dalai Lama: "Só existem dois dias do ano em que nada pode ser feito. Um se chama ontem e o outro se chama amanhã, portanto hoje é o dia certo para amar, acreditar, fazer e, principalmente, viver".

6 DE JULHO

TUDO NA VIDA SÃO POSSIBILIDADES

Já reparou naquela pessoa cuja vida é uma sucessão de histórias repetidas? Como as pessoas sempre sofrem pelas mesmas razões?

O rapaz que sempre tem o coração partido, aquela pessoa que nunca termina os projetos iniciados, aquele que sempre está com problemas financeiros...

As situações se repetem e nossos pensamentos são condicionados. Como um caminho conhecido e rotineiro, criamos algumas possibilidades para nós mesmos e ficamos presos a elas.

Ao tomar consciência de que o mesmo problema sempre se repete em sua vida, observe. Existem infinitas soluções e infinitos desfechos, mas é preciso mudar sua frequência mental a fim de que novas verdades aconteçam em sua vida.

Quais verdades você gostaria de viver?

7 DE JULHO

POR QUE VOCÊ CORRE?

Urgência, produtividade, tempo e dinheiro são o foco da vida moderna.

A competitividade faz com que as pessoas se cobrem soluções rápidas. Tudo está ao alcance de um clique.

Corremos atrás do que precisa ser feito para ganhar mais dinheiro, sinônimo de sucesso, status, poder.

Antes de se jogar de cabeça e cumprir as regras desse jogo, pergunte-se: essa trajetória é feliz?

Como vão as suas emoções? Você se sente em paz ou sempre em estado de alerta? Olha para a sua vida e vê o quanto ela é boa? Ou está sempre com o pé no futuro e correndo atrás de algo?

Observe se tudo o que você considera urgente é mesmo para ontem. Tome o controle da sua vida. Não perca a capacidade de ser o dono da sua história.

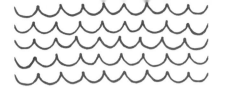

8 DE JULHO

CUIDE DAS SUAS PALAVRAS

As palavras têm força. Têm significado. Trazem uma energia que transforma a realidade.
Quando você afirma algo está tomando aquilo como verdade para você. Cuide de suas palavras.
Prefira se expressar quando tiver algo bom a dizer. Evite falar aquilo do qual vai ser arrepender mais tarde.
Às vezes o silêncio é a melhor opção. Evite se lamentar. Diga: "Eu vou bem. Está tudo ótimo. As coisas estão caminhando sempre para melhor". Coloque sua energia sempre na positividade.
E crie uma dinâmica de conversa construtiva.

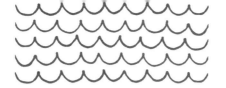

9 DE JULHO

TENHA JOGO DE CINTURA

Uma das atitudes que pode fazer grande diferença em nossa vida é a capacidade de nos adaptar às circunstâncias, sem perder a direção do nosso sonho.

Se prestar atenção, perceberá os sinais do Universo, indicando para termos mais jogo de cintura para alcançar nossos objetivos. Assim como eu, você já vivenciou situações que não tinha como "controlar". Nessas situações, se tivesse agido com flexibilidade, como estaria agora?

Penso que a capacidade de ser uma pessoa que se adapta facilmente vai determinar o sucesso ou o fracasso no longo prazo.

Sendo flexível, a alegria será uma conquista em sua vida.

10 DE JULHO

O PLANEJAMENTO É O PRINCÍPIO DO SUCESSO

Segundo o filósofo grego Aristóteles, toda e qualquer pessoa visa uma meta: o sucesso ou a felicidade. Para alcançá-la, em primeiro lugar, devem ter um pensamento definido e concreto, estabelecer a meta e fixar o objetivo. Em segundo, devem buscar os meios, a sabedoria e os métodos para concretizar o objetivo. Em terceiro lugar, agir e adequar todos os métodos ao objetivo. Dizem que, com planejamento, o homem tem capacidade de concretizar os seus objetivos em cinco anos. Contudo, se abrir mão de planejar, pode levar a vida toda para concretizar e ficar como navio sem leme, cujo destino está ao sabor do vento e da correnteza. Sem nunca chegar ao porto chamado sucesso.

11 DE JULHO

NÃO SE EXPONHA TANTO

Quando nos sentimos superiores aos outros, mais inteligentes e prepotentes, ficamos dependentes dessa posição. É como se só pudéssemos ser dignos de reconhecimento e amor nessa posição de superioridade.
A grande virtude humana é saber conservar a humildade e a discrição.
Liberte-se da necessidade de aprovação dos outros. Abra mão do compromisso com o status.
A vida já impõe muitas provas de superação. Você não precisa torná-la ainda mais difícil e desafiadora para você. Baixe o nível de expectativa dos outros em relação a você. Exponha-se menos, não se preocupe em estar sempre no alto de um pedestal.

12 DE JULHO

FAÇA MAIS PELAS PESSOAS

Todos nós já fomos altruístas em algum momento de nossa vida. Pare para pensar e verá que já se empenhou em ajudar um amigo que estava passando por dificuldades. Já auxiliou uma pessoa em seu trabalho, ofereceu uma oportunidade profissional a alguém ou se envolveu em uma causa social.

O altruísmo faz com que nos sintamos parte da sociedade, com um papel ativo e transformador.

Sentimo-nos mais realizados ao contribuir para o sucesso de outra pessoa. Por isso, meu convite é que você faça do altruísmo uma prática constante e consistente em sua vida.

Faça parte de algum grupo comprometido em compartilhar o amor, engaje-se de alguma maneira.

Tenha como princípio ser um canal para as pessoas que buscam evoluir.

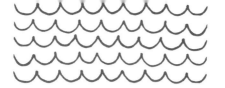

13 DE JULHO

POR UMA VIDA COM SIGNIFICADO

Torne a sua vida significativa. Dê um sentido maior a ela. Quando você tem sonhos e faz o seu melhor para que eles se realizem, a vida ganha cor e vibração.
Quando você abafa seus sonhos com medo de se expor demais e não concretizar nada, fica vivendo o meio-termo e a mediocridade, numa posição de falsa segurança que não traz satisfação. A vida se restringe a cores sem graça, empurrando a rotina "com a barriga".
Viva de maneira que todos os dias tenham um significado, faça-os valer a pena e torne-os parte importante da construção dos seus sonhos.

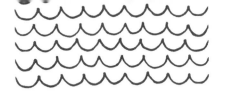

14 DE JULHO

EXISTE UM MUNDO MELHOR ALÉM DA CAVERNA

Havia uma caverna com uma única abertura para o mundo exterior. Nela, viviam seres humanos acorrentados à semiescuridão. Só conheciam as sombras de pessoas e objetos que uma fogueira do lado de fora projetava na parede.

Até que um prisioneiro foi libertado. Ele ficou maravilhado com o novo mundo que encontrou e queria dar aos seus companheiros a mesma oportunidade.

Os amigos resistiam. Contudo, o "iluminado", decidido, persistiu em sua busca pela evolução de si mesmo e seus semelhantes.

Esta parábola, escrita há mais de 2 mil anos, convida-nos a deixar nossas cavernas e ser agentes de transformação na vida de outras pessoas.

15 DE JULHO

QUAL É O SENTIDO DAS SUAS AÇÕES?

Diz uma citação do escritor inglês Jim Brown: "Os homens perdem a saúde para juntar dinheiro, depois perdem dinheiro para recuperar a saúde. Por pensarem ansiosamente no futuro, esquecem do presente, de modo que não vivem nem no presente nem no futuro. Vivem como se nunca fossem morrer, e morrem como se nunca tivessem vivido.".

Você já se viu nessa situação? O que o faz acordar todos os dias? O que importa mais: ser, ter ou parecer?

Avalie qual é o preço para atingir os seus objetivos. Será que está alto demais? Quanto tempo lhe sobra para fazer o que realmente importa?

Só uma vida com sentido lhe trará a real satisfação e alegria.

16 DE JULHO

O PROBLEMA DE CADA UM

Você não pode resolver os problemas dos outros. Pode ajudar, mas cada um tem um carma, uma história e está passando por determinadas dificuldades por causa da lei do Universo de ação e reação.

Deixe que cada um resolva os seus problemas e concentre a sua energia na sua vida. Certamente você também tem questões que estão demandando a sua atenção. Seja sábio para olhar para si mesmo, buscar a sua evolução interior e permitir que cada pessoa faça o mesmo.

Quando todos nós temos interesse e sabedoria para resolver as próprias pendências, tornamos o mundo melhor e nos tornamos melhores.

17 DE JULHO

DESPERTE PARA A GRATIDÃO

Ao ser gratos por tudo — pelo ar que respiramos, por falar, enxergar, ouvir, pelo simples fato de estar vivos — passamos a valorizar a vida e essa oportunidade única de aprender e evoluir espiritualmente.

Então, em vez de focar os defeitos e as falhas, podemos ver o lado positivo de tudo.

Com a prática da gratidão, ficamos livres da ignorância, do sofrimento e aprendemos o caminho que nos libertará da dor, da ansiedade, dos apegos e do descontentamento.

Ao conquistar essa virtude, você respeitará todos o tempo todo. Sintonize-se com as bênçãos divinas e atraia a boa sorte. Vivencie isso agora, feche os olhos e comece a se sentir grato.

18 DE JULHO

A VIDA PEDE OUSADIA

Busque uma experiência que você nunca viveu antes. Ouse, arrisque. Saia da zona de conforto.
Como você passa os fins de semana com sua família? Em casa? Diante da TV? Programe um piquenique no parque, experimente ter contato com a natureza, sentar embaixo das árvores.
Quantos lugares existem em sua cidade que você nunca visitou?
Vá a um museu de arte, se nunca faz isso.
Vá andar de bicicleta, se só anda de carro.
Exponha-se ao novo.
Se a sua vida está limitada, certamente é porque você vive em um contexto limitante.

19 DE JULHO

A DOR É UM ALERTA!

Mesmo havendo uma dor em seu corpo físico, a origem pode ser na alma.

Muitas vezes, a dor existe como um alerta. Ela incomoda justamente para você prestar atenção e buscar a razão de ela existir.

A dor é um chamado para se reconectar com a sua luz. Escute o que dói e cuide-se. Muitas vezes, uma mudança de comportamento ou de postura em relação à vida alivia as dores físicas. Nem todas as dores têm origem no corpo físico, mas aparecem para dizer algo importante a você. Para pedir um ajuste, uma mudança. Uma evolução.

20 DE JULHO

AMIGOS SÃO UM PRESENTE

Não fazemos amigos. Na verdade, encontramos almas com as quais nos identificamos, que nos complementam e sentimos prazer ao estar por perto. Amigos nos ajudam na caminhada evolutiva, eles nos apoiam e incentivam em nossas decisões.

Temos parceiros que não nos deixam sentir a solidão. Amigos são para os momentos de festa e para os momentos difíceis. São aquelas pessoas para as quais não precisamos explicar quem somos, porque elas sabem o que vai em nossa alma. Ter amigos faz bem para a mente e para o coração.

21 DE JULHO

SE VOCÊ QUER, VOCÊ PODE

Quando estiver angustiado, achando que está difícil ou quase impossível fazer seu sonho acontecer, pare para refletir: o que você vive hoje que, no passado, era um sonho?

Com certeza, quando você almejava o que tem hoje também teve de lidar com desafios e obstáculos. O que fez com que você os superasse?

Se você foi capaz uma vez, será capaz mais vezes. Essa potencialidade está dentro de você. Ative-a!

As barreiras e as dificuldades são apenas um aviso de que você precisa se manter firme e forte em sua decisão. Deseje com vontade, não titubeie! E continuará conquistando tudo o que sonhar.

22 DE JULHO

TRAGA MÚSICA PARA SEU COTIDIANO

Quando estiver com algum problema que está baixando sua energia, ligue o som e deixe-se levar. Permita que sua alma encontre alegria nos acordes. Dance. Cante. Solte a sua musculatura. Permita-se contagiar.

Deixe seu corpo fluir ao som de uma música de que você gosta. Seu espírito poderá se expressar, sua alma expandir, elevar-se. A música inspira tanto que nos coloca em um nível emocional elevado ao qual, sem ela, normalmente não seríamos capazes de chegar. A música sempre teve importância fundamental na vida do ser humano, principalmente em relação à expressão dos sentimentos e das emoções.

23 DE JULHO

QUANDO A CURA VEM DE FORA

Algumas vezes, a dor do outro pode ser o nosso canal de cura.

Vivi isso quando tentava parar de fumar, mas não conseguia. Suspendia o cigarro por um tempo, mas acabava voltando.

É difícil trocar um padrão de comportamento, especialmente quando já se tornou um vício.

Eu tentava várias alternativas para me tirar da inércia, e nada resolvia. Até que um dia vi minha filha, na época com 8 anos, chorando. Perguntei o motivo. Ela me disse que sua fitinha do Senhor do Bonfim arrebentara e seu pedido não tinha se realizado.

Perguntei: "Qual era o seu desejo?". E ela respondeu: "Para você parar de fumar.".

Na mesma hora joguei os maços fora e desde então nunca mais fumei.

Minha filha foi o meu canal de cura.

24 DE JULHO

A ESTRADA DA VIDA

A vida é uma estrada sem retorno. Ela vai para a frente sempre. É o aqui e agora o tempo todo. Então, por que não fazer o seu melhor a cada instante?

Muitas pessoas desperdiçam momentos da vida escolhendo se irritar por bobagens, brigar por questões secundárias... Criam situações ruins para si mesmas e para os outros desnecessariamente.

Viva e seja o bem e ele será uma realidade em sua vida.

Viva e faça o melhor com o presente. É o que você faz agora que determinará as próximas curvas da sua estrada. Tome decisões conscientes e focadas naquilo que você acredita ser o melhor. Assim, o percurso em sua estrada da vida trará sempre boas novidades e poucas intempéries.

25 DE JULHO

USE SEU CORAÇÃO COMO GUIA

Já viveu o embate entre seus pensamentos e o seu coração? Acontece assim: você sente algo do fundo da sua alma, mas o seu pensamento lógico prefere negar, passar por cima. Como lidar com isso?

Entenda o seu coração como um decodificador da sua alma, capaz de enviar e receber mensagens energéticas. Ele compreende mais o todo do que o pensamento, que precisa de situações reais e informações palpáveis para se formar.

Considere o que diz o seu coração como sinais do que ainda não está dito com todas as letras, mas já pode ser sentido.

Ative seu sentir e use o seu coração como guia mesmo quando a razão não consegue explicar.

26 DE JULHO

O LEGADO DOS AVÓS

A relação entre avós e netos tem uma beleza única. Há um forte vínculo baseado na cumplicidade. Uma ligação especial entre aquele que muito viveu e aprendeu sobre as relações e aquele que acaba de chegar ao mundo cheio de expectativas.

Avós sabem que o tempo é precioso. Que cada dia deve ser aproveitado. Netos querem a experiências de hoje, sem se preocupar com o futuro. Dessa forma, temos a liga perfeita.

Valorize a relação entre avós e netos pela rica troca que existe entre eles. Além de afeto, eles compartilham a história da família.

27 DE JULHO

A DISCIPLINA NA ESCOLA DA VIDA

Formamos nossa disciplina interior quando aceitamos que a vida é um aprendizado eterno.

Precisamos desenvolver a consciência de que o processo de evolução é contínuo. Ou seja, todos os dias, a todo momento, você está aprendendo algo novo e tendo a chance de se aprimorar.

Somos sempre melhores do que ontem, mais conscientes e com mais bagagem.

O que vai fazer diferença é justamente como você lida com tudo o que aprende.

Ter disciplina interior é desenvolver em si mesmo a capacidade de absorver tudo o que você vive de forma que isso torne você uma pessoa melhor a cada dia.

28 DE JULHO

A PRESSA É INIMIGA DAS CONQUISTAS VERDADEIRAS

"O homem moderno muitas vezes quer o caminho melhor, mais rápido, mais fácil e, se possível, mais barato.". Essas palavras de Dalai Lama são uma análise crítica de como somos seres emergenciais, além de querermos sempre mais facilidades. Contudo, o processo evolutivo exige autoconhecimento, humildade, mergulho interno. Precisamos mudar as nossas expectativas para expandir nossa consciência e nos preparar para um caminho não tão suave.

Temos de nos empenhar, investir em nós mesmos.

Você tem muita força dentro de si que não usa. Quando acessá-la, obterá benefícios que podem chegar com mais lentidão, mas serão definitivos e consistentes.

29 DE JULHO

O FRUTO NÃO CAI DO PÉ ANTES DE ESTAR MADURO

Em minhas meditações sobre aceitação, sempre me vem a importância de refletir sobre a importância da paciência, de acreditar que tudo acontece na hora que deve acontecer.

O ritmo dos acontecimentos nem sempre segue a nossa lógica de vida. É preciso aceitar essa verdade e se deixar levar pela correnteza da vida.

Em vez de travar seus sonhos apenas para quando determinada situação se realizar, abra os olhos para os milagres que a vida lhe dá gratuitamente e você não aproveita.

Aceite o que acontece hoje como um presente a ser desfrutado, e que hoje não acontece algo melhor a ser desfrutado amanhã.

O fruto não cai do pé antes de estar maduro.

30 DE JULHO

PARA SER FELIZ

"O progresso do meu país será medido pela **felicidade do povo** e não por seu consumo.", a partir dessa declaração o quarto rei do Butão, **Jigme Singye Wangchuck**, estabeleceu em seu país, em 1972, o índice de **Felicidade Interna Bruta**. Ele desafiou a medição convencional e materialista de desenvolvimento humano com a convicção de que a grande aspiração humana é a **felicidade**. Como você mede a sua evolução? Pelos bens que acumula ou pela felicidade em sua vida? Para mim, há uma regra para ser feliz: nada precisa acontecer para que eu me sinta bem, basta estar vivo! A vida é um dom de Deus e eu a mereço!

Adote essa regra também e crie o seu índice de felicidade.

31 DE JULHO

VOCÊ NÃO PRECISA TER TODAS AS RESPOSTAS

Você não precisa saber tudo, nem ter todas as respostas. Mesmo que, ao se dar conta disso, você se sinta incomodado, aceite que não sabe. Reconheça que dessa vez não pode ajudar. Ou que é melhor não se comprometer. Controle a ansiedade. Não se apegue à ideia de que terá menos valor por isso.

Não desperdice energia tentando provar o seu valor para os outros como se estivesse sempre sendo avaliado e julgado. Simplesmente seja quem você é, com suas capacidades e limitações. Não force situações que lhe tirarão de seu equilíbrio.

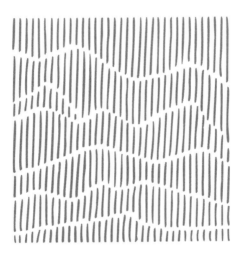

AGOSTO

1 DE AGOSTO

ORGANIZE AS SUAS METAS

Deus lhe deu a incumbência de ser o comandante da sua vida e dirigi-la a seu modo. Por isso, entre em sintonia com seus propósitos e estabeleça metas.

Em primeiro lugar, defina o que pretende realizar. Em seguida, visualize e deseje com toda a sua verdade a concretização da sua meta. Então, elabore um plano por etapas.

O próximo passo é partir para a ação e cumprir cada objetivo dentro do prazo, sem procrastinação.

Um sonho sem atitude não vira realidade. E uma ação sem um plano definido pode levá-lo a outro lugar que não o do seu sonho.

O caminho de concretização dos seus sonhos é feito de projeção e ação.

2 DE AGOSTO

PERSISTA!

Chegar aonde você deseja pode parecer difícil, mas não se deixe abalar pelos desafios. Persista.
Você pode ser questionado por sonhar alto demais, mas você é o único que sabe do próprio potencial. Persista.
Talvez surjam momentos de desânimo, mas eles não podem ser motivo para achar que seu sonho não vale mais a pena. Persista.
Vá em frente, mesmo que em alguns dias você produza mais e em outros não esteja em 100% da sua performance. O importante é continuar.
Aquilo que você faz todos os dias conta mais do que aquilo que você faz de vez em quando.

3 DE AGOSTO

COMO SER BEM-SUCEDIDO E FELIZ

Tenho algumas definições claras do que é ser feliz e bem-sucedido.

Sucesso, para mim, é viver de maneira prazerosa. Sentir mais satisfação do que desprazer em tudo o que se faz. Sentir mais amor do que dor.

Talvez você me pergunte: "Como fazer isso?".

Conheça a si mesmo e aprenda a se cuidar. Evolua e contribua para que as pessoas sintam mais amor do que dor.

Partindo disso, pergunto: "Qual é o seu nível de sucesso atual?".

Você já consegue aprender pelo amor ou ainda precisa ser pela dor?

O que você pode fazer **hoje** para colocar mais luz na sua vida?

O que você pode fazer **hoje** para contribuir com mais amor às pessoas ao seu redor?

4 DE AGOSTO

O QUE VOCÊ TEME?

A origem da ansiedade está nos pensamentos, por racionalizarmos demais tudo o que está por vir, sem deixar as coisas acontecerem naturalmente. Essa aceleração mental tende a alimentar ideias negativas e aumenta o sofrimento com as preocupações.

Quando estiver em um estado de alta expectativa, descubra quais gatilhos estão disparando suas aflições.

O que você teme? O que o deixa inseguro?

Identifique a origem da ansiedade e deixe-a ir. Muitas das hipóteses que você elabora num momento de ansiedade são apenas ilusões.

Coloque energia de amor no que gera ansiedade. Tenha fé. O seu maior inimigo está dentro de você mesmo.

5 DE AGOSTO

VOCÊ É UM SER EM EVOLUÇÃO

Vivemos um eterno processo evolutivo. Essa é uma das maravilhas da nossa existência. A todo momento nos modificamos com os aprendizados que a vida nos proporciona.

Desapegue-se do que não faz mais sentido, do que você já superou, dos comportamentos que não fazem mais parte da sua verdade.

Quem você foi, quem você é e quem você decide se tornar são três pessoas completamente diferentes.

Viva o hoje e não tema o que você vai se tornar amanhã. Tenha certeza de que a cada experiência você vai se aprimorar. Estamos sempre em evolução.

Temos sempre a chance de nos reinventar.

6 DE AGOSTO

SER GENEROSO FAZ PARTE DA NOSSA ESSÊNCIA

A generosidade e a felicidade melhoram o nosso bem-estar. Basta perceber como nos sentimos depois de momentos sinceros de compartilhar com o próximo algo que tenha significado para nós. Você com certeza consegue se conectar com a alegria genuína, o sentimento de amor que cresce dentro de si depois de saber que, naquele momento, você ajudou ou impactou a vida de alguém. O altruísmo está na essência de todos nós. Faz com que cada um de nós se sinta parte atuante e transformadora do planeta.

Faça o bem e tenha você também a oportunidade de contribuir para um mundo melhor.

7 DE AGOSTO

PESSOAS ESPIRITUALIZADAS

A espiritualidade é a crença em uma força superior no Universo.

É a certeza ou a intuição de que algo maior, além do nosso corpo físico, existe.

Uma pessoa espiritualizada não vê os fatores materiais como os mais importantes. Ela prioriza o cuidado com a alma e o espírito.

Pessoas espiritualizadas estão em constante sintonia com o amor e com todas as forças que expandem seus horizontes. Elas compreendem que trabalhar para a construção de um mundo melhor e mais justo é sua missão diária.

8 DE AGOSTO

DESCUBRA A ROSA QUE EXISTE EM VOCÊ

Somos como uma rosa. O perfume e a beleza são nossas qualidades, mas também temos espinhos, que são os defeitos.

Muitas pessoas olham para si mesmas e encontram apenas espinhos. Acham que nada de bom pode vir de seu interior.

Recusam-se a regar e cultivar o bem que há dentro de si. Têm dificuldade de enxergar a rosa com seu perfume e sua beleza dentro delas mesmas.

Um dos maiores dons que uma pessoa pode ter é o de ser capaz de passar pelos espinhos e encontrar a rosa dentro de si mesma — e das outras pessoas. Essa é a característica do amor.

Descubra a rosa que existe dentro de você e de quem você ama.

9 DE AGOSTO

NÃO CULPE SEUS PAIS

Temos o hábito de buscar na genética a razão para nossos problemas, como se a maioria deles fosse uma questão de hereditariedade. Nem tudo, porém, tem como causa principal o DNA. O maior determinante de quem somos é o nosso estilo de vida, e ele está totalmente submetido ao nosso poder de escolha.

Escolhas diferentes levam a vidas distintas. De nada adianta culpar seus pais pelas características com as quais você veio ao mundo. Você tem o poder de mudar o seu destino e livre-arbítrio para isso.

10 DE AGOSTO

A IMPORTÂNCIA DE DORMIR BEM

O poder restaurador do sono permite ao corpo descansar e se preparar para um novo dia.

Não existe um número ideal de horas de sono, varia muito de uma pessoa para outra.

O importante é conhecer suas necessidades e aprender a respeitar o tempo adequado de repouso diário.

Não force o seu mecanismo biológico. Evite ficar acordado mais tempo do que consegue — ou vai dar espaço para o cansaço e o estresse.

Respeite o seu ritmo de vida e suas necessidades internas. Quando seu corpo está em equilíbrio, a sua vida também entra em equilíbrio. Cuide de você.

A saúde é o nosso bem mais valioso e sem ela pouco podemos realizar.

11 DE AGOSTO

NÃO CRITIQUE

Cada vez que você julga alguém, está simplesmente emitindo sua opinião parcial sobre algo de que não tem total domínio, não conhece todas as versões e as motivações. Não julgue simplesmente para mostrar que tem um posicionamento. Antes de fazer um crítica, pense se não tem nada de bom a dizer para reverter aquela situação.

Muitas vezes, julgamos porque nos sentimos fracos. Ao apontar o defeito do outro, temos a sensação ilusória de que estamos mais fortes, que nossas vulnerabilidades sumiram. No entanto, elas continuam ali.

Quando for julgar alguém, pense que todos nós tomamos atitudes erradas e queremos ser compreendidos e perdoados.

12 DE AGOSTO

SEJA EXEMPLO

Nós, pais, estamos tão preocupados em trabalhar, ganhar dinheiro, comprar, poupar que esquecemos de ser o **exemplo** de valores e princípios para nossos filhos.

Quem são os amigos dos seus filhos? Quem são os pais dos amigos dos seus filhos? Quais são os valores da família dos amigos dos seus filhos?

Içami Tiba, no título do seu livro, diz tudo, *"Quem ama, educa!"*.

Para educar, acredito que precisamos mudar a frequência.

Com coragem, você pode sentir um amor profundo pelos seus filhos, pela sua família, pelo Universo todo e, com alegria, resgatar alguns valores para fazer desse mundo um lugar melhor.

Depende só da sua escolha.

13 DE AGOSTO

A FORÇA DAS PALAVRAS

Antes de falar, pense no que vai dizer.
Pratique essa sabedoria. Fale menos e com mais objetividade. Evite palavras que ofendam, tragam angústia, desafiem o outro, projetem sentimentos negativos.
Traga ideias produtivas para as rodas de conversa.
Nossas palavras são energia.
Aprenda que tudo o que você emana para o mundo volta para você.
O Universo apenas aceita os nossos pensamentos, nossas emoções, nossas palavras e nossas ações e envia-nos o reflexo por meio dos acontecimentos em nossa vida.
Se a vida tem lhe trazido alegrias, é sinal de que você tem enviado palavras e atitudes boas para o Universo.

14 DE AGOSTO

AME O QUE VOCÊ FAZ

Acredito que nossa missão está intimamente ligada ao que mais gostamos de fazer.

Há pouco tempo, alguém me disse: "financeiramente, e em outros setores, estou ótimo. A única coisa que tenho a reclamar é em relação à insatisfação com o que eu faço.".

Como descobrir qual atividade lhe faz feliz?

Quando gostamos de nossa atividade profissional do fundo do coração, não medimos esforços para realizá-la. Envolvemo-nos a ponto de perder a noção de tempo e espaço. Fazemos aquilo com tanta paixão e tanto amor que nos sentimos plenamente felizes.

Não contrarie sua natureza, pois todas as respostas estão dentro de você.

15 DE AGOSTO

QUANDO SE DEFENDER?

Tenha sabedoria para escolher em quais brigas entrar. Em quais discussões valerá a pena gastar sua energia. Evite se defender a qualquer custo, entrando em conflitos sem fim. Quando tentamos nos defender é sinal de que estamos dando importância além do necessário às opiniões alheias.

Opiniões não são verdades incontestáveis. São apenas mais um ponto de vista.

Não saia do seu eixo simplesmente porque alguém não compartilha o mesmo ponto de vista que o seu.

Você não precisa convencer o mundo das suas ideias para ser feliz. Podemos conviver com opiniões diversas.

16 DE AGOSTO

FELICIDADE E RELACIONAMENTOS

O que torna uma vida boa? Pense no que é essencial para a sua felicidade. Provavelmente, encontrará nessa reflexão momentos ao lado daqueles que você ama. Ao se conectar com esses laços, rapidamente um sentimento de alegria e bem-estar toma conta de nosso corpo. Quando não estamos bem com aqueles que amamos, é comum nos sentirmos para baixo, sem apetite, desanimados.
Ou seja, nosso corpo e nossas emoções estão altamente ligados, trocando energias e dando a cor de nossa rotina. Então, cultive suas relações. Tenha amigos verdadeiros. Priorize os momentos de boas conversas. Eles não são perda de tempo, e sim a essência da sua realização e felicidade.

17 DE AGOSTO

CONTROLE SUA NECESSIDADE DE APROVAÇÃO

É natural querer se sentir querido e amado, gostar de receber elogios e aplausos. No entanto, não permita que essas demonstrações se tornem uma necessidade absoluta em sua vida.

Não tomar uma decisão que diga respeito exclusivamente a você, antes de saber se os demais estão de acordo, é passar o controle para as mãos dos outros.

É o mesmo que dizer: "a sua opinião é mais importante do que aquilo que eu mesmo penso sobre mim.".

Mantenha a alegria de fazer aquilo que você julga o melhor independentemente da opinião alheia.

18 DE AGOSTO

OREMOS PELA PAZ NO MUNDO

A violência, os conflitos e as guerras da atualidade nos deixam aflitos. Fazem-nos sentir acuados e sem ação, como se não pudéssemos fazer nada a respeito.
No entanto, há muito a fazer. Podemos nos unir a favor da paz. Reserve um momento do seu dia para orar e colocar suas intenções em benefício da paz no mundo. Transmita o amor que há em seu coração por ondas vibratórias, acreditando que essa energia de união pode contagiar o mundo.
Precisamos de mais e mais pessoas se unindo pela vontade de viver em um mundo mais pacífico e amoroso — e tomando uma atitude a respeito.
Só assim caminharemos rumo à paz.

19 DE AGOSTO

DE QUEM É CULPA? SUA OU DOS OUTROS?

Precisamos parar de culpar os outros por nossos fracassos. Culpar as pessoas é, em outras palavras, transferir o poder sobre nosso destino para as mãos delas.
Nada acontece por acaso.
Você tem responsabilidade por tudo o que lhe acontece. De bom ou de ruim.
Em todas as situações que vivemos, temos a possibilidade de exercer o livre-arbítrio. Ou seja, podemos definir como — e se — vamos agir.
Você é responsável quando age ou quando prefere se omitir.
Tenha consciência disso e descobrirá toda a potência do seu poder pessoal.

20 DE AGOSTO

O QUE VOCÊ PRECISA MUDAR...

Constantemente adiamos nossos sonhos e planos porque acreditamos que sempre haverá tempo. Vamos empurrando para o amanhã atitudes fundamentais para nossa felicidade.

Por que fazemos isso? Muitas são as "justificativas": falta de tempo, a correria, medos etc. Mas, e se você soubesse que hoje é o seu último dia de vida? Seguiria na rotina acelerada ou aproveitaria para torná-lo significativo, direcionado para os seus projetos?

Torne essa reflexão parte de sua rotina. Se perceber que o sentimento de "não estar fazendo o melhor que poderia" persistir por muitos dias, coloque-se um objetivo: o que preciso mudar para que eu tenha orgulho da minha vida hoje?

21 DE AGOSTO

TRANSBORDE A SUA LUZ

A alma de todos nós é pura. Ou seja, nossa essência é limpa.
Devemos ter consciência e nos preparar para transbordar essa pureza.
O amor que existe no Universo, existe em você, preenche sua alma e a de todos os seres da Terra.
O amor nos inspira, acalenta e acolhe, mesmo quando não sentimos o seu despertar.
Olhe à sua volta e veja quantas maravilhas estão disponíveis na natureza como prova desse amor. Transborde você também a luz e o amor da sua alma.

22 DE AGOSTO

RETOME OS SEUS SONHOS

Todas as pessoas têm ou já tiveram sonhos. Nascemos e crescemos orientados para idealizar e realizar o que desejamos. Em determinadas circunstâncias, porém, acabamos deixando os nossos sonhos de lado. A rotina massacrante, as dificuldades que causam dor fazem com que nossos desejos pareçam distantes demais...

Contudo, nunca é tarde para retomar o projeto do seu sonho.

Recupere a sua capacidade de sonhar e imagine tudo o que quiser acontecendo. Em seguida, parta para a ação, mude suas atitudes, crie metas. Afinal, se continuar fazendo tudo do mesmo jeito, terá sempre os mesmos resultados.

23 DE AGOSTO

SEU AMOR TRANSFORMA

Existe uma força fundamental dentro de cada um de nós. Essa força é o amor.

Precisamos não apenas falar de amor, mas vivê-lo todos os dias, em todas as nossas relações.

Resgate o amor que existe dentro de você e coloque-o em tudo o que faz.

Seu amor transforma as relações e a sua vida. É capaz de mudar o mundo todo.

Experimente o poder do amor e comece a viver de maneira plena e próspera.

24 DE AGOSTO

A ALEGRIA É UM PODER

Alegria não cai do céu. Nós devemos nos preparar para sentir e vivenciá-la.

Como na fala de Dalai Lama: "A alegria é um poder, **cultive-o**.".

Antes de dormir, e no momento em que abrir os olhos pela manhã, entre em estado interno adequado para alegria.

Prepare seu inconsciente e seu lado consciente para senti-la. O que venho aprendendo é que existem estados de espírito, atitudes, comportamentos que nos ajudam a sentir a alegria.

É como preparar a terra, adubar para depois plantar e colher.

Algumas ações que podem ajudá-lo a preparar o seu terreno:
— meditar;
— orar;
— ter compaixão;
— ter gratidão;
— desapegar;
— servir.

25 DE AGOSTO

TRAGA SUAS VIRTUDES À TONA

Todos nós somos seres dotados de virtudes.
Dentro de todos os seres humanos existe amor incondicional.
Se procurarmos, veremos que dentro de nós não faltam sentimentos como compaixão, paciência, humildade, bondade, tolerância, justiça, honestidade. Todas essas virtudes estão dentro de você, esperando que decida colocá-las para fora.
Faça isso hoje mesmo. E sinta o poder transformador ao colocar em prática suas virtudes, que são a sua melhor versão.

26 DE AGOSTO

A SABEDORIA VEM COM A HUMILDADE

Vivemos na ilusão de que o conhecimento mais importante e valioso é o complicado. No entanto, a sabedoria está nas coisas simples.

Existem pessoas que se apegam ao status do saber e se tornam arrogantes, donas da verdade. Pior: abandonam a humildade de aprender coisas novas. É como se fossem boas demais para aprender algo novo. O orgulho é o princípio da mediocridade.

Pessoas orgulhosas tampam olhos e ouvidos para novos aprendizados e se tornam superficiais.

A humildade é o ponto de partida da sabedoria. Quem tem consciência de que não sabe tudo, está sempre aberto para aprimorar seu conhecimento.

27 DE AGOSTO

COMO ACESSAR SEU EU SUPERIOR?

Costumo definir o Eu Superior como a essência de cada ser humano.
Essa essência é boa, é o seu estado de beatitude que está em conexão direta com Deus.
Acessamos o nosso Eu Superior quando tomamos decisões elevadas e nos colocamos a serviço das pessoas, agimos para melhorar o mundo, temos causas nobres, investimos nosso tempo e até mesmo dinheiro para isso.
Acessamos o nosso Eu Superior quando nos damos conta de que não precisamos de muito. Sentimos plenitude.

28 DE AGOSTO

AS PESSOAS NÃO APARECEM POR ACASO

Nada acontece por acaso. Ninguém está em sua vida aleatoriamente.

Se tivermos humildade e consciência de que os encontros não são casuais, talvez possamos aprender mais com eles.

Não sei quantas pessoas você conheceu até hoje... Eu conheci muitas e cada uma com sua história pessoal me ensinou alguma coisa, impactou minha vida mágica e positivamente.

As pessoas surgem em nosso caminho para que possamos aprender não apenas com nossa experiência, mas também com as situações vividas por elas.

Temos a capacidade de nos colocar no lugar do outro e adquirir o conhecimento que leva à evolução por meio dessa troca.

29 DE AGOSTO

PAIS EQUILIBRADOS, FILHOS FELIZES

Sabemos como a infância é determinante para nossa vida adulta. É durante os primeiros anos de vida que a criança aprende a enxergar o mundo, como funciona a dinâmica das relações humanas e constrói as bases emocionais para si.

Pensando nisso, reflito sobre a importância dos pais cuidarem de sua saúde emocional para, assim, serem modelo e referência para seus filhos de pessoas capazes de liderar a própria vida e que valorizem o cuidado com si mesmos e os demais.

30 DE AGOSTO

COLOQUE ARTE EM SUA ROTINA

Se você tem alguma vontade ou habilidade para desenvolver um talento artístico, vá atrás disso.

A arte tem o poder de modificar o mundo. É a expressão da verdade, capaz de nos tocar profundamente, elevar nosso espírito. Ela nos faz transcender.

Acredito que todos nós nascemos com talentos especiais e certamente você tem os seus. Há muitas pessoas talentosas tornando o mundo mais interessante, envolvente e emocionante por meio da sua arte.

Tenho certeza de que desenvolver sua arte o aproximará ainda mais da felicidade. O tempo investido no seu desenvolvimento artístico lhe trará muitos benefícios.

31 DE AGOSTO

SUA NATUREZA NÃO É DE TREVAS

Para muitas pessoas, ter sentimentos ruins é natural. Parece até que nascemos para sofrer, para ficar incomodados e angustiados.
Já reparou que desconfiamos quando tudo vai bem? Parece que não temos direito a estar em paz e felizes. Precisamos de motivos convincentes para nos sentir bem.
A felicidade plena pode estar ao seu lado o tempo todo. Basta permitir que ela faça parte da sua vida.
Não é preciso pedir desculpas por se sentir bem. Coloque emoção e sentimento em tudo o que fizer – e assim transformará sua vida em luz.

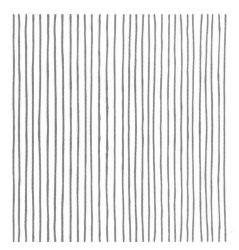

SETEMBRO

1 DE SETEMBRO

QUANDO MACHUCA NÃO É AMOR

Se um relacionamento traz mais sofrimento do que amor, reavalie.
Desconfiança, provocação, insultos, ciúme, controle... não são expressões de amor. Não aceite viver uma relação em que as atitudes ruins são mascaradas como amor em excesso. Quem ama, cuida e traz paz. Não torna a nossa vida um inferno.
Não se acomode, nem se conforme. Você não precisa disso. Merece viver uma relação saudável. Tenha autoestima para não deixar que pessoas tóxicas façam parte da sua vida.

2 DE SETEMBRO

MENTE SÃ, CORPO SÃO

A doença é uma forma de nos lembrar de que precisamos mudar o nosso jeito de ser e agir.
Quando algo em seu corpo físico não está bem, lembre-se disso. Tente entender a razão de alguma enfermidade.
Você vem se excedendo em seu ritmo de vida?
Anda tendo muitos pensamentos negativos e preocupações?
Acreditamos que existe uma separação entre o nosso corpo e a nossa mente. Na verdade, está tudo interligado — mente e corpo. Cuide dos seus pensamentos e de suas atitudes. Mente sã, corpo são.

3 DE SETEMBRO

O ANTÍDOTO PARA A INVEJA ESTÁ EM VOCÊ

Se você está sentindo que alguém inveja você, não deixe que os "maus-olhados" se sobreponham à luz que o ilumina! Muitas vezes nos escondemos por medo da inveja. Ofuscamos nossa luz para não atrair a negatividade dos outros.

Nascemos para viver o nosso melhor e não podemos paralisar por medo de causar despeito.

Aja sempre com verdade, simplicidade e amor. Acredite que o seu sucesso vem de mérito e, por isso, você está protegido. Não entre na frequência energética dos invejosos. Pense: "o Universo vai perdoar essa pessoa e eu vou seguir o meu caminho.".

4 DE SETEMBRO

EXERCITE SERENIDADE E ACEITAÇÃO

Precisamos estar alinhados com a natureza para aprender a respeitar seu ritmo e aceitar que nem sempre as coisas acontecem no momento em que desejamos.
A ansiedade da vida moderna nos faz querer resolver as coisas na velocidade da internet.
Desejamos fazer as coisas acontecer o tempo todo, tentando forçar os acontecimentos do jeito que queremos.
Quanto mais tempo levarmos para aprender a viver com serenidade e aceitação, mais tempo seremos escravos da ansiedade, da inquietação e da infelicidade.
Tenha consciência de que as coisas acontecem no seu tempo.

5 DE SETEMBRO

SOMOS SERES SOCIAIS

Procure tirar o foco em acumular bens materiais e coloque sua energia para solidificar seus relacionamentos.
O que traz bem-estar aos seres humanos são as funções sociais, e não as coisas em si.
Ficamos tão focados na conquista de riquezas que acabamos deixando a atenção aos outros em segundo plano. Como se os relacionamentos fossem menos importantes ou pudessem esperar.
Não nos damos conta de que somos seres sociais e que estar em contato com as pessoas nos traz felicidade e conforto.
Investir em bons relacionamentos e cuidar deles é investir suas fichas na sua alegria.

6 DE SETEMBRO

ASSUMA O COMANDO DA SUA AERONAVE

O caminho da espiritualidade, do amor e da evolução pessoal tem começo e meio, mas não tem fim.
A cada dia fica mais claro que tudo o que acontece em nossa vida terrena são escolhas de nossa alma, num processo infinito de evolução e crescimento.
Lembre-se: você é o piloto da sua vida. Você dá os comandos e estabelece o plano de voo.
Se não pilotar seu avião, alguém vai pilotá-lo por você.
Sua viagem em direção aos seus desejos mais profundos e, consequentemente, ao sucesso e à felicidade pode ser realizada apenas por você.

7 DE SETEMBRO

O CAMINHO DA HUMANIDADE

Os hopis, "o povo da paz", fizeram uma profecia afirmando que a Terra seria sacudida três vezes: a Grande Guerra, uma segunda e uma terceira Grande Guerra, que dependerá da escolha da humanidade: um caminho de ambição e lucro ou amor, força e equilíbrio. É a oportunidade de escolhermos o caminho do amor e da paz. Rever nossos valores, a maneira de nos relacionar com a Mãe Terra, as outras pessoas, o Universo, e fazer as nossas escolhas.

A vida se perde se nunca tirarmos as máscaras de proteção e compartilharmos a alegria e o amor.

8 DE SETEMBRO

AMIGOS PARA SEMPRE

Ter amigos é colocar no coração as pessoas que amamos por opção.

A amizade não tem muita explicação. Ela simplesmente é. Sobrevive à distância, ao tempo... É como o vinho que só vai ficando melhor com o passar dos anos.

Ter amigos é como ter pessoas que nos conhecem bem — talvez melhor do que nós mesmos — e nos aceitam da maneira como somos, com defeitos e qualidades. Sentimos sua compreensão mesmo sem precisar dizer uma só palavra.

Amigos são um porto seguro. Com eles, podemos simplesmente ser.

9 DE SETEMBRO

EU ACREDITO NA UNIÃO

Napoleon Hill disse que ninguém é feliz e bem-sucedido sozinho.
Quando você alcançar o topo da montanha, os que seguiram a seu lado poderão se beneficiar dessa conquista. Antigamente, as pessoas eram mais bonitas, compartilhavam, ajudavam-se entre si. Hoje, sinto que a união tem ficado esquecida. Quando alguém passa a dividir conosco o palco da vida é porque de alguma forma um precisava ensinar ao outro alguma coisa.
Abra-se para aprender.

10 DE SETEMBRO

OLHE PARA O SEU EU INTERNO

Seu Eu Interno faz com que você se sinta o seu melhor amigo, aceite-se como é, ame-se, permita-se viver coisas importantes e se colocar em primeiro lugar.
A ligação que você tem consigo mesmo pode ser a conexão com a sua alma, com aquilo que há de mais puro e essencial na sua existência.
Não deixe nunca que esse elo se perca. Ele é a referência de quem você é neste mundo. Ele diz qual é o seu propósito no mundo. Mostra para o que você veio — e para onde vai.

11 DE SETEMBRO

NÃO ESPERE PARA SER FELIZ

Quem nunca se enganou acreditando que um dia — quando tudo o que desejasse se tornasse real —, finalmente os problemas teriam se acabado e a felicidade reinaria para sempre?

Talvez essa ideia tenha vindo de algum final feliz de contos de fadas em que a história acaba com aquele: "E viveram felizes para sempre.".

A verdade é que não existe o momento-chave para que sua felicidade comece.

A felicidade simplesmente existe e você pode acessá-la quando desejar.

Não espere um dia maravilhoso e perfeito para se permitir ser feliz. Viva o hoje e resgate dele a sua felicidade.

12 DE SETEMBRO

CONTENHA SEU MAU HUMOR

O mau humor faz você vibrar de forma pesada. Torna tudo mais truncado e difícil.

Quando olhamos o mundo com mau humor, temos dificuldade em encontrar saídas. Ficamos sintonizados com os problemas — e até criamos mais deles!

Tenha autoconhecimento para perceber que não é o mundo que está contra você, mas você que ficou de mal com o mundo.

Controle seus impulsos negativos e retome seu equilíbrio.

Não deixe que uma situação pontual estrague seu dia e atrapalhe até mesmo as suas boas relações.

13 DE SETEMBRO

USE SUAS CRENÇAS PARA CRIAR COISAS BOAS

Uma crença é qualquer princípio que oriente a sua vida. Podem ser máximas, um sentimento de fé, uma paixão que esteja proporcionando um significado e dando uma direção para sua conduta.

As nossas crenças são como um direcionamento das escolhas, de acordo com o que percebemos do mundo. São como os comandos do nosso cérebro.

Quando acreditamos em alguma coisa com convicção, ela acontece. Para o bem ou para o mal.

Portanto, use suas crenças para criar o bem e uma vida boa.

14 DE SETEMBRO

RELAÇÕES EM EQUILÍBRIO

Um dos desafios dos relacionamentos é encontrar o equilíbrio.
Ter a sabedoria para escutar o outro, mas não perder a própria voz.
Dar sua atenção, ser caridoso e generoso, mas não permitir que usem você.
Amar, mas não deixar que abusem do seu coração. Confiar na bondade das pessoas, mas não ser ingênuo.

15 DE SETEMBRO

PRATIQUE O DESAPEGO

Desapegue-se daquilo que não é essencial na sua vida.
Quando sentimos apego, é como se quiséssemos manter em nosso poder algo que não é verdadeiramente nosso.
Liberte física e emocionalmente pessoas e coisas.
Tudo o que ficar é porque tem um lugar em sua vida.
O que for embora e não voltar é porque nunca foi seu.
Crie seu mundo com base em sentimentos e energias que são inerentes a você e lhe fazem crescer espiritualmente.
Não sofra com o que foi embora.
Valorize o que se mantém presente em sua vida.

16 DE SETEMBRO

O QUE É ALEGRIA PARA VOCÊ?

Alegria pode ser dar muita gargalhada até ficar sem fôlego.
Alegria pode ser rir por dentro, sorrir livremente.
Alegria pode ser se deliciar com alguma coisa ou por alguém.
Alegria pode ser aquela satisfação de viver.
Alegria pode ser a sensação de liberdade ao brincar com seus filhos.
Alegria pode ser olhar nos olhos de alguém com coragem.
Enfim, alegria pode ser a satisfação de viver consciente das suas escolhas.
O que é alegria para você?
Encontre-a e **sinta a alegria.**

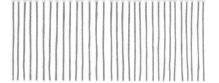

17 DE SETEMBRO

TRANSFORME O SEU DESEJO EM UMA VERDADE

As crenças têm um papel importante, pois fortalecem os seres humanos e fazem com que eles acreditem que podem realizar maravilhas.

Elas são basicamente o nosso respaldo para nos dar a certeza de que chegaremos lá.

Se você pensa que é um derrotado, será um derrotado.

Se pensar "vou conseguir a qualquer custo", chegará lá.

Contudo, não basta querer, é preciso acreditar e sentir a força da realização na sua vida.

Ter crenças é tomar como verdade aquilo que você precisa para ser feliz.

A vitória lhe sorrirá a partir do momento em que ela for uma verdade incontestável.

18 DE SETEMBRO

RECOLHA-SE PARA SE RENOVAR

Existem momentos em nossa vida nos quais precisamos nos recolher para iniciar uma fase de renovação.
Temos de fazer um balanço interno, mantendo o que é essencial e deixando para trás o que não se faz mais necessário. Livrar-se do peso do passado e dar espaço para o novo. Assim, estará pronto para aproveitar o resultado valioso que uma renovação sempre traz.
É como se você fosse um computador que precisa de uma limpeza de arquivos. Apenas abrindo espaço para o novo, ficando mais leve, é que conseguirá atingir o próximo estágio.

19 DE SETEMBRO

EXERCITE SUAS POTENCIALIDADES

Tenho certeza de que você é um ser dotado de muitas potencialidades. No entanto, assim como o músculo que precisa de exercício para se fortalecer, você também precisa praticar os seus talentos para se tornar cada vez melhor.
Se você não usa sua coragem, ela diminui.
Se não tem mais motivo para se empenhar, sua força de vontade vai por água abaixo.
Se não coloca amor em sua vida, ele se dissipa.
Olhe para sua vida e veja o que existe dentro de você, mas está sem uso. Exercite seus músculos emocionais, mantenha-se em um estado espiritual saudável e esteja preparado para tudo!

20 DE SETEMBRO

DEGUSTE A VIDA

Quando começamos a degustar a vida, com atenção plena em tudo o que fazemos, sentimos mais prazer e mantemos nosso sentimento de satisfação em alta.

Faça uma experiência. No almoço ou no jantar, preste atenção naquilo que coloca no prato, sinta o aroma dos alimentos, mastigue com calma.

Ao praticar uma atividade física, sinta seu corpo se revigorando, perceba como o esforço na medida certa o fortalece. Depois do exercício, sinta o prazer do relaxamento.

Para sentir a vida a cada momento, precisamos colocar atenção em tudo o que fazemos. Assim recuperamos o prazer de estar vivos e a felicidade.

21 DE SETEMBRO

ESTAMOS CADA VEZ MAIS CONSCIENTES

Sinto que vivemos uma era em que as pessoas estão mais conscientes e em busca de autoconhecimento.
Há um crescente interesse por práticas transcendentais de meditação. Há muitas pessoas que acreditam e sentem que não existe apenas um corpo físico, mas também um corpo espiritual.
Esse estágio em que a humanidade se encontra é um sinal coletivo de que nosso planeta está se transformando para melhor. Eu acredito nisso.
Comece também a sua transformação pessoal, considerando que você é um ser espiritual. E, portanto, cuide de seus sentimentos e da energia que emana.

22 DE SETEMBRO

É VOCÊ QUEM DECIDE

É você quem decide viver na alegria ou na tristeza.
Na prosperidade ou na pobreza.
Com companhia ou na solidão.
Não está vivendo o que gostaria?
Olhe para o passado e veja como tudo o que você fez até agora surtiu efeito em sua vida. O que precisa mudar?
Muitas vezes, ficamos no plano das ideias e dos desejos, mas não partimos para a ação. É preciso agir e se policiar para não repetir padrões que não deram certo.
Tenha uma nova postura diante da vida ao pensar, falar ou se relacionar.
Nada acontece por acaso. Tudo o que existe hoje em sua vida é fruto de uma decisão.

23 DE SETEMBRO

NINGUÉM TEM PODER SOBRE NINGUÉM

Quando estamos prontos para uma modificação, os sinais aparecem. A mudança ocorre de dentro para fora.
As pessoas podem ter um papel fundamental em sua evolução trazendo informação, abrindo seus olhos.
Contudo, a decisão de mudar o que não vai bem é sua. Exclusivamente sua.
Ninguém tem poder sobre ninguém. Devemos assumir a responsabilidade emocional por nossas mudanças. Precisamos nos readaptar ao novo — e isso requer dedicação e muito trabalho interno.
Orar e vigiar. Cuidar para não voltar aos antigos hábitos até que a nova atitude se torne uma constante em nossa vida.

24 DE SETEMBRO

ESCOLHA SEU VOCABULÁRIO EMOCIONAL

É fundamental cuidar do seu vocabulário emocional. Com frequência, adotamos palavras para expressar nossas emoções sem sequer pensar no impacto que elas podem ter sobre nós e sobre os outros.

Tome cuidado com o que você pensa e fala porque isso pode se tornar uma realidade.

Desejo que cada um de nós seja cada dia mais consciente dos próprios comportamentos e pensamentos, assim faremos escolhas mais assertivas.

Empenhe-se para usar as melhores palavras ao expressar seus sentimentos. Incorpore ao seu vocabulário diário palavras que produzam os estados emocionais que você deseja e merece.

25 DE SETEMBRO

AGRADE A SI MESMO

Um dos sinais de que você está deixando sua autoestima de lado é quando a aprovação dos outros se torna muito mais impactante na sua vida do que a própria aprovação. Para saber se isso está acontecendo, pergunte-se: "você só fica bem se os outros o elogiam ou curtem aquilo que você diz e faz?", "você só toma atitudes pensando no impacto que elas causarão na vida dos outros?".

Se vive 24 horas por dia com a necessidade de ser aplaudido, há grandes chances de viver frustrações.

É preciso resgatar quanto antes o seu amor-próprio. Antes de agradar aos outros, agrade a si mesmo.

26 DE SETEMBRO

ESTAMOS TODOS JUNTOS

Faz parte da nossa missão de vida e do nosso sonho contribuir na construção de um mundo melhor. Para isso, precisamos desenvolver uma atitude de responsabilidade por tudo e por todos com quem convivemos.

Precisamos nos sentir mais ligados ao todo e menos individualistas.

Muitas vezes, vejo que nos sentimos separados das outras pessoas por questões culturais, por opiniões divergentes. No entanto, a verdade é que estamos todos juntos, unidos, como tudo o que existe no Universo.

Só quando sentirmos essa união é que poderemos conduzir a nossa vida de um jeito feliz, em paz, visando a construção de um mundo melhor.

27 DE SETEMBRO

RECONHECIMENTO E AFETO

O que nutre uma relação? Acredito que existem dois ingredientes fundamentais: reconhecimento e expressão de afeto.

Sinto que a única maneira de um relacionamento durar de verdade é olhar para ele como uma oportunidade de se doar e não uma chance de apenas receber.

O relacionamento que persiste e se fortalece é mantido com palavras de carinho, encorajamento, compreensão.

O relacionamento que sobrevive às intempéries tem abraço, tem querer bem, tem olhar de amor.

Os valores verdadeiros estão sempre presentes nas relações que perduram.

28 DE SETEMBRO

DISSIPE O MEDO

Em alguns momentos, somos tomados por uma sensação de medo.
É como se houvesse um buraco apertado no qual nos metemos e não conseguimos nem nos mexer direito ali.
Ficamos paralisados, sufocados.
Talvez seja até difícil refletir e encontrar uma saída.
Do onde vem esse sentimento? Ele vem do desconhecido.
E como aplacar o medo? Com fé e atitude.
Não deixe que o medo paralise você. Respire fundo e tenha fé de que tudo lhe sairá bem. Comece a agir. Conforme você coloca sua energia em movimento, o medo se dissipa e a confiança toma conta.

29 DE SETEMBRO

AS PEQUENAS ATITUDES QUE MUDAM TUDO

Quando estiver triste, sem saber o que fazer, exponha-se a alguma situação que lhe traga prazer. Mude sua frequência, cante alto sua música favorita, leia um livro que o inspire, tome um gostoso banho de cachoeira ou chuveiro, encontre-se com alguém querido...

Para resgatar o seu bem-estar, você não precisa de atitudes mentais complexas.

Embora valha a pena refletir sobre a razão da tristeza, nesse exato momento se dê a chance de sentir-se acolhido.

Uma simples atitude mostra que acessar o prazer e o bem-estar não é tão complicado quanto parece. Revela que a alegria está nas pequenas coisas da vida.

30 DE SETEMBRO

O ELO VERDADEIRO

Quando há um elo verdadeiro entre duas pessoas, nem mesmo a distância ou o tempo são capazes de destruir essa ligação.

Em contrapartida, se existe apego, há um sentimento de controle, que não parece ser espontâneo.

O apego não é capaz de deixar ir. Ele é uma expressão de insegurança, de falta de fé e autoestima.

Quem tem apego não acredita no amor.

Espero que você tenha capacidade de transformar os seus apegos em elos.

Tenha uma vida cheia de relacionamentos saudáveis e verdadeiros!

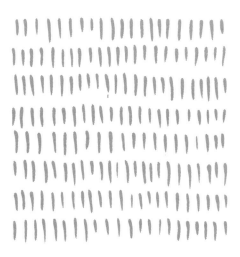

OUTUBRO

1 DE OUTUBRO

QUE A FORÇA ESTEJA COM VOCÊ!

Eu sei que em algum momento do seu passado você já experimentou a coragem e a confiança.
Se você já fez algo em que foi bem-sucedido, pode repeti-lo. Sua fé pode fazer você se manter confiante até mesmo em ambientes e situações que nunca encontrou.
Imagine as sensações que deseja sentir e tenha certeza de que você as merece.
Que sua vida seja iluminada com muito amor, alegria, compaixão e paz. Que a força esteja com você!

2 DE OUTUBRO

CONTROLE AS PREOCUPAÇÕES

Vivemos preocupados com o que fizemos no passado e pode afetar nosso futuro.

Vivemos preocupados com o futuro, porque ainda não sabemos no que vai dar a nossa vida.

A preocupação não apenas rouba a alegria, mas também nos mantém ocupados sem resolver nada. Traz mais angústias, impede-nos de desfrutar plenamente o presente e ainda pode causar depressão.

Para não deixá-la tomar espaço demais em sua vida, estabeleça um tempo-limite para ela. Não permita que seu cérebro passe o dia todo imerso em questões do futuro. Ao colocar um limite para essa emoção, você dá um passo importante para controlá-la.

3 DE OUTUBRO

QUAL É O SEU PROJETO DE VIDA?

É muito importante você ter um projeto de vida.
Ou seja: ter claro e definido o que você quer realizar, colocar no papel seu desejo de alma e permitir que seu corpo realize esse projeto.
Tendo um propósito claro e definido, eliminam-se todas as dúvidas. Criamos identificação com nossas **metas** e nos tornamos **um**. Ou seja, você é a meta concretizada.
E o mais interessante: quando temos uma meta clara e definida, a energia em nossa vida é imensa.
Quais são as suas metas? Qual é a sua missão de vida?

4 DE OUTUBRO

CRIE MOMENTOS ESPECIAIS

A todo tempo você tem a chance de colocar um colorido especial na vida das pessoas. Basta acionar a sua sensibilidade e generosidade. Não é necessário fazer nada grandioso. Basta estar conectado o suficiente para saber o que faz o outro feliz.

Seja o agente criador de pequenos milagres e alegrias. Aquela pessoa capaz de tornar a vida mais especial e promover algumas situações inesquecíveis.

Surpreenda alguém com flores, uma festa surpresa, um presente, mesmo que simbólico, mas inesperado. Hoje é sempre o melhor tempo para começar a fazer o que é bom. Seja um mensageiro da felicidade.

5 DE OUTUBRO

NINGUÉM PRENDE NINGUÉM

Buda disse: "A vida do jeito que levamos não é satisfatória. Há um vazio interior, um sentimento de falta de sentido que não se pode preencher com coisas ou pessoas. Qual é a causa desta instabilidade inerente, da insatisfação que nos corrói?".

A razão disso é o apego. Nós nos apegamos às pessoas que amamos, aos bens materiais, à posição social, à carreira... Nada disso traz segurança. Na verdade, quanto mais dependemos de fatores externos para ser completos, mais vulneráveis nos tornamos.

A felicidade é interior. O apego causa sofrimento. Por isso, liberte-se de tudo. Deixe ir. Ninguém prende ninguém.

6 DE OUTUBRO

SEJA O SEU MELHOR AMIGO

Todos nós passamos por dificuldades. Quando estiver vivendo os momentos mais difíceis, você precisa ser o seu melhor amigo.

Crie um ritual para retomar o seu bem-estar e sentir-se mais seguro. Lembre-se de outros momentos em que as dificuldades apareceram e você conseguiu superá-las. Não duvide de sua capacidade de recuperar sua força interior.

Encontre algo que simbolize o seu poder de superação e que seja capaz de desencadear em você uma reação positiva.

Seja seu melhor amigo para que, em qualquer momento difícil, você saiba que não precisa de nada além de si mesmo para superar as provações da vida.

7 DE OUTUBRO

A MELHOR ALTERNATIVA

Algumas pessoas paralisam nos momentos de decisão por causa da indecisão.

Entre decidir pelo caminho A ou B, ficam estáticas por medo do sofrimento.

A vida pede coragem. Há situações em que nenhuma das alternativas será cômoda. Todas trazem consequências com as quais você terá de lidar.

Vá em frente e decida por seu coração. O que parece ser a rota mais cômoda, pode ser uma ilusão temporária que depois lhe cobrará em dobro.

Tenha fé que dias melhores virão e faça o que tem de ser feito.

Quando estamos em situações-limite, precisamos avançar para que o nó se desate e uma nova realidade surja.

8 DE OUTUBRO

ENERGIZE-SE

Sente-se de maneira confortável, feche os olhos e procure sentir o seu corpo por alguns instantes.
Qual é a temperatura da sua pele? Como estão as batidas do seu coração? Preste atenção a tudo. Perceba a sua respiração, o ritmo. Sinta o ar entrando e saindo.
Em seguida, pense em uma pessoa que você ama ou apenas procure sentir o amor de Deus. Assim que sentir uma energia bem forte em seu coração, deixe-a percorrer as demais partes do seu corpo. Pratique esse exercício sempre, mesmo quando estiver em atividades do cotidiano. Você viverá energizado.

9 DE OUTUBRO

A FORÇA VINDA DAS SITUAÇÕES

Ninguém tem a capacidade de magoar você. A mágoa é resultado de como você vê as coisas.

Conheço pessoas que foram capazes de apagar uma dor do passado e decidir nunca mais amar de novo. Já outras usaram a mesma experiência ruim para trazer um amor melhor, que as merecesse.

Todos nós temos a capacidade de preencher qualquer acontecimento com significados animadores ou devastadores. Podemos decidir se as experiências que vivemos vão nos colocar para baixo ou serão o impulso que precisávamos para dar um basta em algumas situações. Busque sempre encontrar significados que fortaleçam você.

10 DE OUTUBRO

MOMENTOS DE LUTO

Existem momentos em que o luto é necessário.
A perda de uma pessoa querida. Um momento de final de ciclo, de mudança.
Quando algo vai embora e fica um vazio que você ainda não sabe como pode ser preenchido, aquiete seu coração, entre em oração e exerça a sua paciência para que, aos poucos, acostume-se com a ideia.
Não se cobre uma superação imediata. Dias melhores virão. Viva um de cada vez com fé e força.

11 DE OUTUBRO

VOLTAR PARA CASA

Ao mesmo tempo que vivemos uma corrida tecnológica sem alma, uma ciência sem consciência, também vemos o retorno das pessoas a si mesmas.
Sentimos a necessidade de voltar para casa e o desejo de ver um processo de transformação interior.
Queremos chegar a um novo estado de espírito e consciência. Temos muito o que aprender até chegar a uma nova realidade satisfatória. Nesse processo, é preciso ter em mente que quanto antes vivermos a fraternidade, mais cedo viveremos no amor.
Estamos nesse mundo para fazer uma transformação interior que nos torna mais unidos, mais humanos e felizes.

12 DE OUTUBRO

COMPARTILHAR EMOÇÕES

Ganhei uma coleção de livros intitulada "O mundo da criança". Meus filhos começaram a folheá-los e me pediram: "Papai, conta esta história?".

Contei algumas e comecei a refletir sobre como contar histórias às crianças ajuda na formação de sua personalidade.

É um processo terapêutico fantástico: ajuda quem as ouve e quem as conta.

Pode nos ajudar a resgatar valores como esperança, altruísmo, desenvolvimento pessoal, amor...

As histórias mostram seres humanos comuns, com os mesmos desafios que nós, buscando o crescimento.

Esse mundo mágico é uma porta para encontrar respostas que há muito tempo buscamos.

13 DE OUTUBRO

CONSULTE O SEU CORAÇÃO

Quando estiver vivendo um impasse, consulte o seu coração. Ninguém sabe melhor de você do que ele.

Mesmo que considere a opinião alheia, saiba que a decisão mais acertada será aquela que expressar a sua verdadeira vontade. Aquilo que está latente, pedindo para você agir.

Existem algumas decisões que são difíceis de tomar, por implicarem muitas mudanças. Elas nos fazem sair da zona de conforto e nos reinventar. Só você pode definir se está disposto a passar por elas. Seja forte.

Quanto mais seguro de suas decisões você estiver, menos precisará da validação e aprovação dos outros.

14 DE OUTUBRO

TEORIA *VERSUS* PRÁTICA

Muitas coisas podem provocar mudança em sua realidade. Antes de mais nada, é necessário estar aberto e permitir a mudança.

Por exemplo, você pode ter inspirações para promover mudanças em sua vida por meio da meditação, da leitura de um livro ou de uma conversa com um amigo. Estamos aprendendo o tempo inteiro, mas da teoria à pratica existe um caminho a seguir.

Identificar o que está errado é muito fácil. O desafio é conseguir desligar o botão que nos faz agir no "modo piloto automático", cometendo os mesmos erros. Colocar em prática requer disciplina e interesse.

15 DE OUTUBRO

O BRILHO NO OLHAR DOS AMIGOS

Muitas vezes temos uma visão equivocada de nós mesmos. Isso acontece especialmente nas fases em que passamos por algum tipo de crise e nossa autoestima fica abalada.

Quando isso acontecer com você, recorra aos seus grandes amigos, às pessoas que lhe conhecem como a palma da mão e só querem o seu bem.

Essas pessoas serão capazes de ajudá-lo a enxergar o que você tem de bom. Vão fazer com que você recupere a confiança em si mesmo. Resgate a fé no seu potencial.

Quando não conseguimos olhar para nós mesmos, podemos nos enxergar no brilho do olhar do outro.

16 DE OUTUBRO

RELAÇÕES DE TUDO OU NADA

Acredito que, assim como eu, você deseja que seu relacionamento perdure.

Para isso, não adote posições radicais. Nem prometa coisas que não tem a intenção de cumprir.

Em vez de partir para o tudo ou nada no jogo de palavras, foque todos os dias a melhoria do relacionamento.

Os casais que conheço e têm relações duradouras e gratificantes fazem disso uma regra.

Mesmo quando se sentem feridos ou com raiva, agarram-se à existência amorosa do relacionamento e procuram aprender com o conflito. Não partem para o tudo ou nada porque priorizam a relação.

Conflitos fazem parte, mas pelo amor eles são superados.

17 DE OUTUBRO

PARA NÃO SENTIR SOLIDÃO

Podemos sentir uma imensa solidão mesmo estando rodeados de gente. Solidão não significa estar literalmente sozinho, mas sentir-se assim.

Quantas pessoas não reclamam da "solidão a dois", como cantava Cazuza?

Estar só é não ter ninguém com quem compartilhar a sua verdade interior. É se sentir incompreendido, um peixe fora d'água.

Solidão é a ausência de pertencimento. Muitas vezes, é uma ilusão ou uma maneira de enxergar o mundo.

Para fugir dela, comece a se amar mais. Aproxime-se das pessoas que se abrem para você, que querem sua companhia e entendem seus sentimentos.

18 DE OUTUBRO

TUDO PASSA!

Às vezes, as coisas parecem um pouco mais complicadas, mas tudo passa. Todos seguimos o mesmo caminho de evolução espiritual e conscientização. O que muda é o tempo de caminhada. Aceitar esse fato torna a vida mais simples e o trajeto mais prazeroso.

As dificuldades são processos de transformação para aprendermos e evoluir. Para sofrer menos com elas, viva e faça o bem, e o mesmo será feito a você. Evoluindo espiritualmente talvez caminhemos por trilhas de paz e mais amor.

Reflita a luz de seu coração por meio de suas palavras e de suas ações. Que cada um vivencie a harmonia, a paz e o amor hoje.

19 DE OUTUBRO

DESCARTE O QUE NÃO LHE SERVE MAIS

Há momentos na vida em que é urgente dizer adeus. Se você chegou à conclusão de que algo não lhe serve mais, descarte
Não estenda o seu sofrimento, nem alimente amarguras. Se um relacionamento só traz decepção, dê um basta. Se uma situação lhe impede de crescer, desvencilhe-se dela. Não suporte mais se percebeu que chegou ao limite.
Ao nos ocupar com aquilo que não nos faz bem, não temos tempo para olhar as novas alternativas.
Se algo tem de ir embora, é sinal que o melhor está por vir. Acredite. Limpe sua vida daquilo que não lhe serve mais para que boas novidades tenham espaço para surgir.

20 DE OUTUBRO

O EFEITO DAS SUAS EXPERIÊNCIAS

Não são as experiências que nos modificam, mas o significado que atribuímos a elas.
Feche os olhos e reflita sobre situações marcantes que transformaram sua vida e quais foram as suas conclusões depois de vivê-las. Outras pessoas passaram por situações parecidas e chegaram a outras conclusões, como alguém que teve uma infância pobre e se tornou determinado a vencer na vida e outra pessoa que nasceu no mesmo cenário, mas acredita que nunca terá chance de mudar sua realidade e se contenta com a falta de recursos.
A maneira como interpreta suas experiências é que fará a diferença em seu destino.

21 DE OUTUBRO

IDADE NÃO É LIMITE PARA NADA

Idade nada mais é que um número, um estado de espírito. Algumas pessoas até se esquecem de quantos anos têm, porque não pautam sua vida pela idade. Não acreditam ser jovens ou velhas demais para nada. Simplesmente seguem suas vontades e correm atrás dos seus sonhos.

Há pessoas na terceira idade que estão cursando faculdade, aprendendo um novo idioma, treinando para participar de uma maratona. Há pessoas com vinte e poucos anos criando *startups* milionárias, assumindo altos cargos em empresas.

Quem cria os limites e as possibilidades em sua vida é você. E isso tem muito pouco a ver com quantos anos tem.

22 DE OUTUBRO

ACREDITE EM VOCÊ!

Acredite em você para concretizar ou recuperar seus sonhos ou para viver de maneira mais intensa.

Acredite em você para se transformar em um agente catalisador de amor de paz.

Acredite em você para se dar o direito de ser amado e, consequentemente, ser capaz de amar.

Acredite em você para encontrar o caminho de volta para sua essência divina.

Acredite em você para ser consciente de que é um portador da luz e da energia do amor.

23 DE OUTUBRO

VIVENDO DE APARÊNCIAS

Em vários momentos corremos o risco de fazer escolhas procurando impressionar mais os outros do que agradar a nós mesmos. Podemos até perder a noção do que realmente precisamos na ânsia de contentar os outros!

Existem pessoas que não escolhem com quem vão casar ou qual profissão vão seguir presas aos julgamentos externos.

Sua vida é muito importante para ser vivida apenas de aparências. Não a desperdice com situações que não façam você se sentir bem por dentro. Coloque nela o que lhe faz verdadeiramente feliz. Independentemente da opinião dos outros.

24 DE OUTUBRO

RENASCIMENTO

Fome, miséria, desigualdade social, corrupção, violência... Acredito que, assim como eu, muitos se sentem angustiados com o que vem acontecendo com a humanidade.

Às vezes, tenho a sensação de estar vivendo uma era das trevas, mas é exatamente nesses momentos que consigo visualizar uma luz no fim do túnel. Uma luz de amor incondicional, compaixão, paz, irmandade.

Precisamos abandonar velhos padrões de pensamento e comportamento para que o novo possa nascer. Caminhamos rumo a um renascimento da humanidade. E ele passa pela reconquista de um estado de consciência.

25 DE OUTUBRO

NAVEGUE SEMPRE!

Para conquistar nossos sonhos, precisamos nos arriscar por novos mares, explorar lugares diferentes. Experimentar, errar, tentar novos caminhos. A vida pede coragem e força de vontade.

É preciso executar, sair da zona de conforto. Não se apegue ao que é mais fácil, mas sim ao que vai colocar você no rumo certo. Coloque sua energia em movimento e a serviço dos seus projetos de vida.

O porto é o lugar mais seguro para um barco, mas ele não foi feito para ficar lá. Seu destino é navegar.

26 DE OUTUBRO

SEJA BOM DE CORAÇÃO

"Um bom coração é a melhor religião.", disse Dalai Lama. Fazer o bem, conectar-se com Deus. Quem procura ver o bem no outro encontra mais momentos de harmonia do que de discórdia.

Quem tem bom coração é generoso e procura ajudar as pessoas à sua volta; quer ser um instrumento para melhorar o mundo.

Você não precisa de dogmas nem de doutrinas.

Viva no amor e sentirá a presença divina em sua vida.

O mundo precisa de bons corações. Seja um deles.

27 DE OUTUBRO

SORRIR CURA A ALMA

Sorrir é o melhor remédio. Não são apenas as emoções que influenciam nossas expressões faciais. As expressões também são capazes de mudar nosso estado de espírito. Se estiver mal, estampe um sorriso no rosto e siga em frente. Quando se der conta, nem se lembrará do que o entristeceu. Se estiver bem, mantenha seu sorriso ali.

28 DE OUTUBRO

A REGRA É A SUA FELICIDADE

Abraham Lincoln disse uma vez: "A maioria das pessoas é tão feliz quanto decide ser.". Adote essa regra e decida levar o controle da sua felicidade ao único e maior interessado: você mesmo.

Nada de extraordinário precisa acontecer para que você se sinta bem. Isso significa se comprometer a ser amoroso, flexível, calmo, criativo, seguro e humilde o bastante para encontrar um modo positivo de olhar a vida e fazer com que qualquer experiência seja enriquecedora.

Sinta-se bem por estar vivo.

A vida é um dom de Deus e você a merece.

29 DE OUTUBRO

O TRABALHO QUE ENGRANDECE

Dizia Buda: "Sua tarefa é descobrir seu trabalho e então, com todo o coração, dedicar-se a ele.".

Todos temos uma missão na vida e o trabalho pode ser a expressão da nossa essência. Para isso, deveríamos nos permitir exercer a tarefa que faz nosso coração pulsar de prazer e alegria.

Descobrir nossa função na Terra traz tanta satisfação que nem sentimos o peso do compromisso. Colocamos energia e amor nessa tarefa.

Fazemos o nosso melhor simplesmente porque nos dedicamos de corpo e alma. Quando descobrimos nosso dom especial e o colocamos a serviço do mundo, nos sentimos completos.

30 DE OUTUBRO

ENCONTROS E APRENDIZADOS

Acredito que os encontros que temos com as outras pessoas em nossa existência são meios para aprendermos a olhar para o nosso interior.

São esses encontros que nos ajudam a olhar as nossas sombras. Se você estiver disposto a se conhecer melhor, verá que cada relacionamento em sua vida pode trazer um aprendizado e uma chance de melhorar como ser humano.

Nossos encontros acontecem em nossa família biológica e, se tivermos humildade de reconhecer, acontecem também em nossa grande família humana.

Espero que você abra um espaço no coração para sentir seus relacionamentos e aprender com eles.

31 DE OUTUBRO

SEMEIE AMOR

Quando semeamos o amor, começamos a compreender a oração: "é dando que se recebe".
Realmente o amor tem essa força, esse poder, essa magia.
Acredito que, para semear o amor, não são necessárias coisas materiais. Basta ter na alma a vontade de ajudar o próximo.
Essa ajuda pode vir com um telefonema, um e-mail carinhoso, uma visita.
Onde existe o verdadeiro amor, tudo fica mais leve, mais agradável.
Quando estamos em sintonia com o Universo, o verdadeiro amor brota em nosso coração. Tudo se completa.

NOVEMBRO

1 DE NOVEMBRO

QUAL É O SEU MAIOR SONHO?

Todos nós temos um sonho... Talvez você ainda não tenha consciência dele, mas ele existe.

Com os alunos que passaram pelos nossos treinamentos, pude perceber algo interessante: as pessoas têm alma generosa e querem fazer a diferença na vida das outras.

Reflita:

O que faz os seus olhos brilharem e o seu coração bater mais forte?

Provavelmente essas coisas têm relação com seu sonho.

Existe algum sonho que você abandonou ou esqueceu?

Se esse sonho estivesse concretizado, como estaria sua vida hoje?

Quantas pessoas se beneficiariam?

Tire um tempo para **você, sonhe e reflita** sobre o que você realmente quer.

2 DE NOVEMBRO

NÃO TENHA MEDO DA MORTE

Como você encara a morte? Tem medo dela ou a entende como um processo de transformação?
É natural sentir tristeza pela "perda" de alguém querido e precisamos senti-la para passar o tempo do luto.
Contudo, muitos sofrem porque ficam apegados à matéria. Se olhar para morte como um processo de transformação e evolução da vida e do Espírito, perceberá que ela nada mais é do que um estágio da nossa **vida**.
Precisamos aceitar o que Deus nos apresenta, compreender o aprendizado, confiar e sentir profunda gratidão por poder deixar morrer o que não nos serve mais para continuar vivendo em uma nova possibilidade.

3 DE NOVEMBRO

ENCONTRE SEU LUGAR

Viva a sua verdade. Não se iluda com os elogios, nem se irrite demais com as críticas. Coloque-se em equilíbrio e evite ficar vulnerável às energias que vêm de fora.

O mundo está cheio de opiniões, críticas e regras para tudo.

Não faltam pessoas dizendo como você deve se comportar e o que deve fazer. Diante de tanto barulho, procure ouvir o que você tem a dizer sobre si mesmo.

Descubra que você não é melhor nem pior do que ninguém. É simplesmente você.

Encontre a paz de simplesmente ser, sem muitos adjetivos. Encontre o seu lugar, o seu centro, e mantenha-se nele.

4 DE NOVEMBRO

ACREDITE NO SOPRO DE FELICIDADE

Eu sei que em determinados momentos da vida não é fácil se reerguer. Quando uma tristeza o consome, quando uma decepção deixa os seus dias cinzentos, quando uma perda faz o seu chão sumir debaixo dos seus pés.

Entretanto, o mundo gira. A vida vai recolocando as coisas nos eixos. Mesmo que o sofrimento pegue para valer, não se entregue totalmente. Acredite que um sopro de esperança vai surgir em algum lugar para fazer você voltar a viver.

Nenhuma tristeza é tão eterna a ponto de não deixar nenhum espacinho para a felicidade.

5 DE NOVEMBRO

O PODER DO ENTUSIASMO

Já parou para refletir e analisar seu comportamento quando tem um objetivo definido?

Você é capaz de colocar todas as suas energias num projeto e ficar tão envolvido que **nem** sente cansaço. Perde a noção do tempo e envolve outras pessoas nessa energia. O que parecia muito difícil, começa a ficar leve e gostoso. Por isso, penso que as pessoas devem viver com propostas claras e definidas, conscientes de que estão se beneficiando com o objetivo e também beneficiando aos outros.

Coloque amor, paixão e entusiasmo em tudo o que fizer. Dessa forma, tudo começa a fluir — e milagres passam a acontecer.

6 DE NOVEMBRO

DEIXE A FRUSTRAÇÃO NO PASSADO

Não se culpe se nem tudo na sua vida saiu da maneira como você gostaria. Não há nada a ser feito quando o passado precisa ficar no lugar dele.

Algumas coisas na vida precisam de reciprocidade. Se, por mais que você tenha tentado não conseguiu reverter uma situação, deve haver um motivo que estava fora do seu alcance e conhecimento. Aceite o que não pôde acontecer. Não podemos cobrar atitude do outro — cada um oferece o que pode e o que possui dentro de si.

Deixe a frustração no passado e procure fazer do seu hoje o melhor que puder. Não há motivo para sentir culpa quando fazemos o nosso melhor.

7 DE NOVEMBRO

MUDANÇA DE CRENÇAS

Defina duas crenças que mais o enfraquecem e se faça algumas perguntas:

Com quem aprendi essas crenças? Essa pessoa era o melhor modelo a seguir?

Se eu não ficar livre dessas crenças, o que isso vai me custar emocional, física e financeiramente?

Como essas crenças afetam meus relacionamentos e as pessoas que eu amo?

Visualize claramente as consequências que essas crenças provocam e decida parar de pagar o preço de alimentá-las.

Em seguida, elabore duas crenças novas para colocar no lugar das velhas. Reforce diariamente as crenças positivas e fortalecedoras visualizando os benefícios que elas trarão.

8 DE NOVEMBRO

REDESCUBRA A MAGIA DE SER HUMANO

A correria e a inversão de valores têm feito os princípios da humanidade perderem a sua essência. A avareza e a sede de poder estão cegando os homens.

Muitos estão se esquecendo de que a cooperação, o ato de ajudar o próximo, a doação, o amor são sentimentos que habitam nossa alma.

Evidenciando esses sentimentos tão nobres, sua vida se torna mais leve e mais gostosa.

Convido você a ser mais solidário, mais amoroso, por um dia, apenas. Depois por mais um dia... E, quem sabe, possamos redescobrir o encanto e a magia de ajudar o próximo e voltar a ser humanos.

9 DE NOVEMBRO

PARA SER UM LÍDER

Como identificamos um líder? Um líder é aquele que move as pessoas rumo a um ideal. E faz isso com a naturalidade de ser quem ele é.

Ninguém se transforma em líder sozinho. São as pessoas que escolhem quem desejam seguir. Essa escolha é baseada na verdade que ele passa.

A autoridade de um líder não vem apenas das palavras, mas do conjunto: palavras + coerência + ação.

Para ser um líder não basta ter uma retórica perfeita. É preciso fazer o que diz.

10 DE NOVEMBRO

RESISTA AOS TESTES DA VIDA

Já reparou que, quando estamos no auge do nosso equilíbrio, a vida nos coloca na frente de alguém capaz de colocar à prova nossa paciência?

Veja situações assim como um teste de fogo para o seu desenvolvimento.

A verdadeira prova de que você está firme em seus princípios de bondade e amor aparecerá nos momentos em que precisar de muito discernimento para manter sua integridade intacta.

Não tome atitudes intempestivas. Pare e observe. Entregue nas mãos de Deus. Perdoe e seja grato por estar em outra vibração. Não se deixe levar pela provocação. Siga em frente no seu ideal de fé e amor.

11 DE NOVEMBRO

O MELHOR ESTÁ POR VIR

Valorize suas escolhas e veja que o que aconteceu em sua vida até hoje foi essencial para sua evolução.

Não se coloque para baixo, lamentando as escolhas erradas. Os erros foram os seus maiores professores. Entenda que sua vida até hoje foi a melhor possível dentro de seu conhecimento.

E, a partir de agora, com essa bagagem acumulada, ela será ainda melhor.

Tenha confiança em si mesmo. Tenha certeza de que depois de tantos aprendizados, você vai conseguir chegar mais longe. Valorize os seus feitos. Se já atingiu bons resultados uma vez, está dentro de você a capacidade de fazer cada vez melhor!

12 DE NOVEMBRO

VOCÊ SEMPRE ESCOLHE SEU CAMINHO

Mesmo antes de nascer, uma criança é um ser humano consciente e capaz de reações. Antes do sexto mês de gestação, o feto já tem vida afetiva. É capaz de sentimentos muito reais.

As percepções dos sentimentos do bebê começam a modelar seu comportamento, assim como as suas expectativas.

Tudo isso depende das mensagens que ele recebe no útero e as interpretações que fizer. As principais fontes dessas mensagens são a mãe e o pai. Cabe a cada um refletir sobre as mensagens que recebe e escolher seu caminho. É assim desde o útero. É assim a vida toda. Você sempre escolhe o seu caminho.

13 DE NOVEMBRO

A EMBARCAÇÃO PERFEITA

Nossa existência é cíclica. Assim como as ondas do mar, que vêm e vão, vida e morte se sucedem.
Nesse momento, estamos encarnados na Terra.
Dispomos da embarcação perfeita, que é o corpo humano, para nos conduzir de maneira maravilhosa ao nosso despertar.
Aproveite essa vida para o seu processo de evolução e crescimento.
Acredito que se você cuidar do seu corpo de forma consciente, saberá também olhar para dentro de si e encontrar a sua missão.

14 DE NOVEMBRO

PARA EVOLUIR PRECISAMOS MUDAR

Nosso sentido de identidade, a imagem que criamos de nós mesmos, pode nos fazer cair na cilada de definir quem somos de maneira estática e nos impedir de mudar.

Nós somos seres em evolução. Não podemos ficar parados. Para atingir todo dia uma versão melhorada de nós mesmos, precisamos estar atentos a esses padrões que criamos e ser mais flexíveis.

Temos de abrir mão das noções preconceituosas sobre quem pensamos que somos. Adote este mantra em sua vida: "Não importa quem eu costumava ser. O que importa é o tipo de pessoa que quero me tornar".

15 DE NOVEMBRO

ESTAMOS TODOS UNIDOS

O momento que todos nós vivemos é de transformação. Todos os seres vivos, a Mãe Terra, tudo o que respira está em movimento. Uma grande ilusão dos homens é achar que somos um elemento separado do todo que é o nosso planeta. Se você vir uma imagem da Mãe Terra do espaço, perceberá que a beleza está justamente em não conseguir separar o mundo em blocos. As linhas que separam um país do outro, por exemplo, só existem nos mapas e na cabeça dos homens. É algo simples de entender racionalmente, mas difícil aceitar com o coração.

16 DE NOVEMBRO

POR UM MUNDO DE PAZ E COMPAIXÃO

Violência, guerras e desrespeito às crenças alheias são absurdos que causam uma grande dor na alma.
As pessoas estão deixando de se respeitar. Uns se sentem mais importantes que os outros. Quando, na verdade, somos todos iguais. E deveríamos nos tratar como semelhantes. Um mundo de paz e compaixão só é possível se sentirmos os estados essenciais: paz, amor, alegria, plenitude e comunhão com Deus.

17 DE NOVEMBRO

VOCÊ CRIA A SUA VIDA

Criatividade é a descoberta de algo novo e com valor. Se pensarmos em termos existenciais, podemos usar a criatividade para dar um salto quântico em nossa vida e criar uma nova realidade mais satisfatória.
Você é capaz de fazer isso por meio da sua imaginação. Use-a para criar novas possibilidades em sua vida. É você quem idealiza sua existência, primeiro no plano das ideias e depois no plano das ações. Permita-se ser criativo para viver a vida que desenhar em seus pensamentos.

18 DE NOVEMBRO

MUITAS VIDAS PARA APRENDER

Tenho total consciência que minha vida atual, como outras que já vivi, muitas vezes me parece uma história sem começo nem fim. Faltam partes da minha existência para que eu compreenda o que devo fazer neste planeta. Para dar continuidade ao ciclo eterno da vida, precisava nascer de novo por não ter cumprido a tarefa que me foi designada.

Hoje, muito mais do que ontem, quero cumprir minha missão de vida: contribuir para que alguém respire melhor, porque eu vivi. Ser um canal para que haja amor, compaixão e paz entre todos os seres do Universo.

19 DE NOVEMBRO

VOCÊ EM PRIMEIRO LUGAR

Somos únicos e especiais.
Merecemos ser muito bem cuidados por nós mesmos.
Não podemos nos deixar em último plano, com as migalhas da nossa própria atenção.
Não é justo fazermo-nos de "gato e sapato" sem nos dar conta de nossas necessidades.
Não é inteligente nos permitir o esgotamento emocional, nem nos impor uma rotina maçante que não dá espaço para viver uma vida com qualidade.
É nossa responsabilidade cuidar do nosso corpo, da nossa mente e da nossa alma para estarmos sempre no auge de nossas potencialidades.
Cuide desse Universo que existe dentro de você.

20 DE NOVEMBRO

MUDE SEUS PADRÕES

Quais são os padrões inconscientes que vêm mudando a sua vida?

Treinamos nosso cérebro e nosso corpo para funcionar dentro de um padrão até que isso se transforme em um hábito.

Somos capazes até de criar padrões emocionais ou comportamentais negativos. Existem pessoas que vivem com medo, raiva e tristeza, sem saber que isso foi criado por elas mesmas.

Talvez seja hora de mudar o seu padrão de pensamento e se sentir melhor, mais feliz, empolgado e agradecido.

Tudo está em suas mãos. Basta você querer e se permitir promover essa mudança.

21 DE NOVEMBRO

UM PENSAMENTO PARA SUA MANHÃ

Todos os dias ao acordar, faça uma proposta para si mesmo. Mentalize coisas boas e diga: "Hoje vai ser um bom-dia.".

Sinta uma energia de positividade invadir o seu corpo e tenha certeza de que todos os acontecimentos vão fluir para o melhor. Tenha essa certeza assim, de forma simples e eficaz.

Um pensamento positivo pela manhã pode mudar para melhor todo o seu dia.

Adote esse hábito e comece a ver maravilhas acontecer.

22 DE NOVEMBRO

TUDO PODE ACONTECER

Por mais que planejemos, os dias que virão são uma incógnita. É o mistério da vida o que sustenta a nossa fé. Saber que existem muitas possibilidades e acreditar que dias melhores virão é um alento e também um sopro de esperança.

Se soubéssemos de tudo que fosse acontecer daqui a cinco minutos, um dia, uma semana, um mês e no resto da vida, não teríamos ânimo para fazer nada. Ficaríamos sentados esperando nosso destino.

Portanto, aprenda a lidar com surpresas da vida e a tirar o melhor delas. Nada é para sempre e tudo pode mudar para melhor. Basta querer e acreditar.

23 DE NOVEMBRO

RESGATE SEU PODER DE IMAGINAR

Todos nós temos o poder da imaginação.
Quando crianças, usamos essa capacidade o tempo todo.
No entanto, quando nos tornamos adultos, muitas vezes deixamos de dar crédito a ela.
Como você tem utilizado o seu poder de imaginar? Você pode usá-lo de forma construtiva ou destrutiva.
Sua imaginação é dez vezes mais poderosa do que a sua força de vontade. Quando você liberta a sua força de imaginação construtiva e criativa, gera um sentimento de certeza. E sua visão vai muito além de qualquer limitação. Você pode realizar muitos sonhos usando o seu poder de imaginar.
Resgate essa mágica dentro de você!

24 DE NOVEMBRO

NÃO SEJA RADICAL

Precisamos parar com as atitudes radicais em nossa vida. Precisamos ter mais resiliência e flexibilidade para absorver o impacto dos acontecimentos de forma mais suave, sem despencar.

Apesar de sempre buscarmos os melhores resultados, somos suscetíveis a falhas. Se por acaso algo deu errado, tente novamente. De outra maneira. Siga em frente. Uma hora vai dar certo, quando for a hora.

Como está escrito no livro O *pequeno príncipe*, "É loucura jogar fora todas as chances de ser feliz porque uma tentativa não deu certo.".

Continue tentando, a felicidade sempre pode ser alcançada!

25 DE NOVEMBRO

COMECE PELA AUTOTRANSFORMAÇÃO

Existe uma frase do filósofo Lao Tzu que diz: "Se quiseres acordar toda a humanidade, então acorda-te a ti mesmo. Se quiseres eliminar o sofrimentos no mundo, então elimina a escuridão e negativismo em ti próprio. Na verdade, a maior dádiva que podes dar ao mundo é aquela da tua própria autotransformação".

Comece a mudança pelo autoconhecimento. Transforme sua vida e isso impactará significativamente as pessoas que convivem com você.

Realize os seus sonhos e seja a prova de que as coisas podem dar certo; os projetos, bem-sucedidos.

Viva a sua melhor versão e seja um exemplo vivo a ser seguido.

26 DE NOVEMBRO

EVITE O SOFRIMENTO

Fico imaginando que, assim como eu, você também quer ser feliz e evitar o sofrimento. Para isso, não são necessários poderes ou talentos especiais. O que precisamos exercitar é o nosso lado espiritual dentro do nosso corpo físico.

Quando conseguirmos abandonar a inveja e desapegar da vontade de ser melhores que os outros, já teremos dado bons passos.

Procure ser você mesmo. Experimente fazer o bem ao próximo.

Com bondade no coração, gentileza e sorriso no rosto, você vai contribuir para a felicidade de muita gente e, consequentemente, para a sua.

Seja você mesmo, seja livre e feliz.

27 DE NOVEMBRO

OUSE, ARRISQUE, VIVA!

Na dúvida entre tentar ou não tentar? Tente.
Na dúvida entre parar ou ir em frente? Vá em frente.
Se algo lhe diz que você precisa experimentar, não se deixe paralisar pelo medo. Se você tem vontade de realizar algo, mas fica na incerteza, achando que não vai dar conta do recado, coloque-se à prova.
A vitória vem para quem se arrisca. Só tem chance de cruzar a linha de chegada quem participa da corrida.
Não se contente com um lugar na arquibancada quando algo lhe diz que você pode ir lá e vencer.
Melhor uma vida cheia de "não acredito que fiz isso" do que uma cheia de "deveria ter feito isso".

28 DE NOVEMBRO

SUAS EXPERIÊNCIAS FAZEM DE VOCÊ ÚNICO

Sua maior riqueza são as suas experiências. Elas são únicas e singulares.

O que você viveu está guardado em seu interior. Tudo isso faz parte das suas referências de mundo, e definem sua maneira única de ver a vida. As experiências constroem a sua existência e dão *know-how* para suas próximas escolhas.

Toda nossa história de vida, todas as nossas experiências têm uma influência direta em nossas crenças. São elas que dizem quem somos e do que somos capazes.

Se você já passou por poucas e boas e hoje ainda está de pé, significa que dentro de você há uma força enorme. Não ignore-a e mantenha-a acesa.

29 DE NOVEMBRO

A SABEDORIA DE CALAR

Quando uma situação de vida não disser respeito a você, resista à vontade de emitir um julgamento ou uma opinião.

Evite atacar as pessoas gratuitamente, apenas porque elas não têm as mesmas atitudes que você.

Quando você discorda de algo que não vai afetar sua vida, apenas observe e cale-se. Deixe para expor sua opinião quando lhe disser respeito, ou se lhe pedirem algum tipo de ajuda.

Evite entrar em situações complicadas, resguarde-se. Poupe sua energia. Percebemos a educação de alguém pela maneira como discorda sem agredir.

30 DE NOVEMBRO

PERDOE MAIS

Perdoar é pôr fim a pensamentos de negatividade e descontentamento.
Abra mão da mágoa que está corroendo o seu coração.
Livre-se dos pensamentos de raiva que estão poluindo a sua mente.
Dê espaço para que a leveza volte a reinar.
Lave a sua alma com compreensão e carinho. Dê uma segunda chance. Não se permita ser tão vulnerável. É você quem decide quais sentimentos vão continuar fazendo parte do seu coração.
Permita que sua energia de perdão cure tudo ao seu redor. Pode ter certeza de que o maior beneficiado com isso será você mesmo.

DEZEMBRO

1 DE DEZEMBRO

ENCONTRE A PAZ

Quando você encontra, enfim, a paz, o seu coração fica calmo e bate mais tranquilo. A ansiedade se dissipa. A impaciência e a irritabilidade saem de cena.
E como você encontra a paz? Por meio da gratidão e aceitação de que tudo de melhor está acontecendo hoje e agora. Quando você desiste de se preocupar com situações futuras, encontra a paz. Quando você deixa de tentar parecer para simplesmente ser, encontra a paz.
A paz é tão forte que, quando alcançada, nada perturba o seu interior!
Você fica firme, inabalável e pleno.

2 DE DEZEMBRO

VOCÊ CONTROLA O SEU TEMPO

Você está com a sensação de que o ano passou rápido demais? Sim, a má notícia é que o tempo voa, mas temos também uma boa notícia: você é o piloto e pode usar seu tempo como quiser.

Dezembro é um bom mês para fazer um balanço da sua vida e avaliar se fez bom uso do seu tempo:

O que faria diferente?

Do que se orgulha?

Com o que está insatisfeito?

Quais pessoas estiveram perto de você?

Quais ficaram longe e você queria ter mais perto?

Use as respostas para modificar ou aprimorar o seu voo pela vida, para ter respostas cada vez mais satisfatórias no seu balanço.

Você controla o seu avião e o seu tempo!

3 DE DEZEMBRO

VOCÊ ESTÁ NO FIM DA FILA?

Onde você está na sua lista de prioridades?

Muitas vezes nos deixamos lá no fim da fila. Se você acha que está nessa situação, vale fazer uma reflexão de como deixou isso acontecer:

Você não sabe dizer não, se impõe metas impossíveis e assume mais responsabilidades do que tem condições de entregar.

Não reconhece o seu valor, nem reconhece os seus feitos — ou se esquece facilmente deles. Então, vive se criticando e cobrando mais.

Está na hora de olhar no espelho e se elogiar mais. Abraçar-se Reconhecer quão bom você é.

A mudança interna começa quando você passa a cuidar de si mesmo e a se valorizar.

4 DE DEZEMBRO

PARA TUDO EXISTE UM TEMPO

Quando somos colocados à prova, vemos a finitude das coisas.

A vida é impermanência, então devemos viver em harmonia e recuperar o amor dentro de nós, respeitando todos os processos pelos quais passamos.

Estar em sintonia com o Universo para aprender com o ciclo da natureza e sentir que Deus está presente em tudo. Portanto, está tudo perfeito como deve ser.

Quando aceitamos que tudo aqui, na terceira dimensão, tem seu tempo, aprendemos a enfrentar as crises das transformações com serenidade. É necessário ter consciência de que existe um tempo para nascer, viver e morrer. Um ciclo a ser completado.

5 DE DEZEMBRO

CURTA O SEU SUCESSO!

Você chegou o final do ano e sem dúvida tem motivos para comemorar. Não deixe passar em branco. Certamente você começou o ano cheio de sonhos e projetos. Celebre o que conquistou.

A palavra "sucesso" pode ter significados bem diferentes para cada um de nós, e é sentida pelas pessoas de maneiras diferentes; mas dá o mesmo frio na barriga e uma alegria sem fim quando alcançada. Brinde as suas conquistas, pessoais e profissionais. Permita-se desfrutar desse momento que lhe faz genuinamente feliz.

6 DE DEZEMBRO

USE A SABEDORIA CONQUISTADA

Apesar de vivermos do tempo presente, muitas pessoas fazem escolhas em sua vida se apegando ao passado. Como se estivessem aprisionadas a ele.
Seja por meditação ou qualquer outra técnica, proponha-se a deixar sua mente limpa e clara, sem as influências de situações que não existem mais.
A natureza da sua mente é clara, mas fica impedida de mostrar sua essência por causa das histórias que atrapalham a compreensão da verdade e do presente.
Você é sempre melhor hoje do que ontem, porque cada novo dia lhe traz mais sabedoria. Use-a em benefício próprio. Não se sabote.

7 DE DEZEMBRO

COMBATA A SUA INVEJA

A inveja é um dos sentimentos mais corrosivos que existe. Enche a sua vida com uma energia improdutiva, causando sensações como angústia, baixa autoestima, desânimo.

Para lidar com esse sentimento é preciso entender quais são as causas dele. O que o outro tem, faz ou é que o incomoda tanto?

Tenha humildade para transformar a inveja em admiração pelo outro e motivação para correr atrás dos seus objetivos. Todos temos talentos e potencial para conquistar nossos sonhos. Cada um faz à sua maneira.

Use o sentimento de inveja para resgatar o que você tem de melhor.

8 DE DEZEMBRO

A PRÁTICA DA MEDITAÇÃO

Um dos principais benefícios da prática diária da meditação é chegar a um estado de paz, sentindo-se mais alegre, pleno, conectado com o Universo e, consequentemente, mais amado e feliz. Um dos desafios da meditação é, justamente, concentrar-se no tempo presente. Colocar atenção plena no que você está vivendo agora.
No início, pode ser difícil, pois estamos acostumados a viver em estado de ansiedade e preocupação. Não desista. Com a prática e o tempo você conseguirá entrar em estado meditativo e levar seus benefícios para o dia a dia. Terá uma visão mais clara para tomar decisões importantes.

9 DE DEZEMBRO

PEQUENOS GESTOS

Diante dos males sociais, podemos nos sentir impotentes. Transformar o mundo inteiro parece difícil, mas se cada um de nós fizer a sua parte, podemos consegui-lo. Com pequenos gestos como ter mais educação para tratar seus semelhantes, dar bons exemplos para seus filhos e netos, ser modelo de amor, humildade e carinho... Cuidar do outro como gostaria de ser cuidado. Cuidar da Mãe Terra como você cuida da sua casa. Acredito que não somos impotentes. Na verdade, cada um de nós pode fazer pequenas coisas que vão acrescentar muito ao mundo e ao Universo.

10 DE DEZEMBRO

TEMPO DE PLANTAR E TEMPO DE COLHER

Plante **amor** e possivelmente vai colher muito mais amor.
Plante **compaixão** e talvez receba muita compaixão.
Plante a **paz** e é possível que tenha muita paz.
Ainda é tempo de **sonhar**.
Ainda é possível que **realize** seus sonhos.
somos os nossos sonhos.
Espero que o próximo ano seja **decisivo** para o seu processo evolutivo.
Que você esteja mais consciente dos seus **sonhos** e tome posse do seu poder pessoal e da responsabilidade para estar em harmonia com a natureza.
Que você seja a mudança que quer ver no mundo.

11 DE DEZEMBRO

UM DIA DE CADA VEZ

Quando precisar fazer uma escolha, mas não souber qual caminho seguir, não fique aflito.

Procure definir algumas atitudes que você pode tomar hoje para melhorar o que está vivendo. Pequenas mudanças são a semente para mudanças maiores.

Pense em quanto amor você pode espalhar em sua própria casa, para as pessoas da sua vida. Avalie quais são suas atitudes que não fazem bem para os outros nem para você. Troque-as hoje mesmo e o fluxo energético da sua vida vai começar a mudar! Isso o ajudará a perceber sua realidade de maneira diferente e ter mais certeza das escolhas a serem feitas.

12 DE DEZEMBRO

ELEVE SEU ASTRAL

Muitas situações nos deixam com baixo-astral, por termos dificuldade em lidar com elas.

Nessas horas, uma maneira de reverter o quadro de baixa energia é fazer perguntas que podem mudar sua vibração e seus sentimentos.

Pergunte-se o que há de maravilhoso em sua vida. O que o faz se sentir grato? O que aconteceu hoje que o fez feliz? Lembrar-se de momentos mágicos ajudam você a ficar melhor e a contribuir para que as pessoas se contagiem com seu alto-astral.

13 DE DEZEMBRO

QUANDO A TRISTEZA NÃO QUER IR EMBORA

Tristeza traz aquela sensação de que tudo está sem graça e mais lento. Momentos tristes parecem carregar consigo uma nuvem escura que não deixa o sol brilhar novamente. Sim, existem momentos em que o coração fica apertado e machucado, como se nunca mais fosse curar, mas vai curar, sim. Se você abrir o seu coração, essa dor vai passar.

Acredite na sua capacidade de recuperar a alegria de viver, de superação. Você pode ficar mais forte emocionalmente depois de um momento triste, desde que escolha bem o que fazer com seus sentimentos.

14 DE DEZEMBRO

PRATIQUE A CONTENÇÃO INTERIOR

Um dos segredos da felicidade está em desenvolver uma habilidade interna chamada contenção interior.
A contenção é uma forma de consciência interna que nos ajuda a evitar a negatividade e não propagar ideias e sentimentos prejudiciais a nós mesmos e aos outros.
Somos humanos e passíveis de erros e fraquezas, mas quando exercitamos a contenção interior, damos o primeiro passo em relação à vontade de mudar, de nos aprimorar como pessoas.
Ao notar um sentimento ruim dentro de você, pense em como pode transformá-lo em algo bom.
O que você precisa desenvolver dentro de si mesmo para mudar?

15 DE DEZEMBRO

SEJA GENTIL

Não deixe o mundo fazer com que se torne um ranzinza.
Não deixe a dor fazê-lo odiar.
Não deixe a amargura roubar a sua doçura.
Não deixe a pressa torná-lo mal-educado.
Não deixe a falta de paciência torná-lo irônico.
Resgate em você a gentileza. A atitude de fazer com o outro aquilo que gostaria que fizessem com você. É tratar bem, com respeito e afeto.
O mundo está precisando de mais amor.
Comece por você, comece sendo gentil.

16 DE DEZEMBRO

TENHA PODER SOBRE O SEU PODER

Muitas pessoas sonham com o poder e, quando o conquistam, sentem-se plenas e livres.

Não se engane, pois o poder tem algumas nuances traiçoeiras. Ele pode tanto libertá-lo, como também prendê-lo. É uma força que dá sensação de segurança, engrandece e traz energia para realizar mais e mais, mas tome cuidado para não se sentir acima do bem e do mal.

Você pode desfrutar do poder se tiver consciência de suas tentações e conseguir dominá-lo.

Quanto mais conquistamos na vida, mais responsabilidades acumulamos. Seja responsável por seu poder.

17 DE DEZEMBRO

TENHA CORAGEM

Não tenha medo de chegar ao limite da sua dor emocional.
Não se deixe guiar pelo conforto, e sim por aquilo que você deseja do fundo da sua alma.
Mesmo que você esteja passando por um momento difícil — e saiba que passará por mais sofrimento —, não hesite em mudar a realidade se ela já não é mais a sua fonte de felicidade. Quando você toma uma atitude, o fluxo da vida se transforma.
Tudo se reorganiza para que você viva de acordo com aquilo que sempre sonhou.
Se você não faz nada e continua infeliz, a sua vida emperra e o sofrimento se estende sem chance de mudar. O que a vida nos pede é coragem. Não deixe isso de lado.

18 DE DEZEMBRO

SUA VERDADEIRA RIQUEZA

Olhe para a sua vida e reflita: o que você tem/vive/desfruta que não trocaria por dinheiro nenhum no mundo? Faça uma lista de tudo o que lembrar. Não se assuste se descobrir que muita coisa dessa lista não foi comprada. Foi dada pelo Universo. Veio de forma espontânea e simplesmente é parte importante da sua vida. É o que o torna feliz. Essa é uma maneira de comprovar que a riqueza está nas coisas que o dinheiro não compra.

Você sabe que é rico quando possui coisas que não troca por dinheiro nenhum!

19 DE DEZEMBRO

MIRE O FUTURO

Não há tempo para o passado quando o futuro tem melhores oportunidades. Portanto, não fique amarrado ao que não deu certo.

Não se deixe abater pela ideia de que está destinado ao fracasso. Deixe os erros do passado para trás e coloque o foco da sua vida nas próximas chances. Aproveite-as da melhor maneira.

Limpe sua mente de pensamentos derrotistas e ponha no lugar uma proposta de vida nova.

Você sabe que está no caminho certo quando perde o interesse de olhar para trás.

Afinal, quando estamos seguros com nossas decisões, o foco é sempre para frente!

20 DE DEZEMBRO

O SUFICIENTE VEM FÁCIL

Acredite na sabedoria do Universo que traz para a nossa vida aquilo que nos cabe. Nem menos nem mais.
Todo o suficiente vem fácil, vem com o tempo! Está predestinado a chegar em nossas mãos.
Que nós saibamos identificar o que é suficiente em nossas vidas e aproveitar as bênçãos de Deus, que provê o que precisamos para nossa evolução.
Que tenhamos sempre gratidão!

21 DE DEZEMBRO

PERDOE E SAIA DA SINTONIA NEGATIVA

Perdoar as pessoas não o obriga a conviver com elas. Perdoe porque você merece paz. Não lhe cabe julgar alguém que lhe fez mal, definindo a sua sentença. Existe no Universo a lei da ação e reação que é líquida e certa. O fluxo da vida se encarrega de nos colocar no lugar em que aprenderemos da melhor forma com os próprios erros — seja pelo amor, seja pela dor.

Não ocupe sua vida com sentimentos de ódio, nem abra espaço para pessoas que não lhe fazem bem. Perdoe e não sintonize mais na energia negativa de quem não tem nada de bom a agregar. Ore por essa pessoa e deixe-a ir.

22 DE DEZEMBRO

EXERCITE A CONCENTRAÇÃO

Você pode começar a se concentrar repetindo mentalmente o mantra OM. É possível entoar o mantra enquanto trabalha ou praticando meditação.

No início, há chances de se sentir cansado com esse exercício — o esforço para manter a concentração e o foco é exaustivo para o cérebro.

Aos poucos, como acontece com a prática de qualquer atividade, seu corpo vai se acostumando e você conseguirá manter a concentração alternando-a com uma sensação de relaxamento.

23 DE DEZEMBRO

VOCÊ ACREDITA EM VOCÊ?

Todas as pessoas têm dois medos básicos:
1) O medo de não de não ser o bastante em alguma situação.
2) O medo de perder ou não viver o amor.
Quando questiono se você acredita em **você**, quero voltar ao primeiro medo básico que, se mal administrado, pode danificar seu amor-próprio, sua autoconfiança.
No momento em que deixa de acreditar em si mesmo, você deixa de concretizar sonhos, projetos, fica paralisado.
Acreditando em você, quero vê-lo realizando os seus sonhos.
Acreditando em você, quero vê-lo concretizando os seus projetos.
Acreditando em você, quero que realize as coisas mais lindas e que seja feliz.

24 DE DEZEMBRO

O ESPÍRITO NATALINO

Qual o significado do Natal para você? Por que a maioria das pessoas fica amorosa, feliz?

Por que esse sentimento de fraternidade não continua ao longo de todos os meses do ano?

Com essas perguntas, numa véspera de Natal, decidi sair para correr e fazer uma "experiência".

A quem eu encontrasse primeiro, daria um bom-dia cheio de alegria, amor e com desejo que o outro realmente tivesse um **lindo dia**.

Da metade da corrida para frente, daria um bom-dia sem amor, sem alegria, por "obrigação".

Recebi tudo o que dei porque nós não levamos ninguém aonde não estamos.

Só conseguimos transmitir o que falamos a partir do coração.

25 DE DEZEMBRO

O NATAL

No dia 25 de dezembro a humanidade ganhou uma oportunidade linda de se conscientizar das suas sombras e iluminá-las. Como dizia Jung: "Você só se ilumina, você só se torna um ser de Luz, quando tiver a coragem de conhecer as suas trevas.".
Ganhamos uma chance de praticar o que temos de mais belo: **o amor**.
E praticar o que Jesus nos ensinou: "Eu vos dou um novo mandamento: **amai-vos uns aos outros como eu vos amei**.".
Faça de cada dia o melhor dia da sua vida.
Assim, contribuirá para que a vida daqueles que convivem com você seja maravilhosa.
Que seu Natal tenha um significado abençoado e iluminado.

26 DE DEZEMBRO

AGRADEÇA POR TUDO!

Quando nos tornamos gratos, recebemos mais. Quando expressamos nossa gratidão, recebemos ainda mais. Esta é a lei da natureza.

Ao conquistar a virtude da gratidão, você passa a respeitar a si mesmo e aos outros. Fica em sintonia com as Inspirações Divinas. Atrai boa sorte e Bênçãos Divinas.

Agradeça a Deus pela sua vida.

Agradeça à sua família.

Agradeça à Mãe Terra.

Agradeça ao Universo.

Agradeça pelos seus amigos.

Agradeça pela sua saúde.

Agradeça pelas adversidades.

Agradeça pelas alegrias.

Agradeça por **tudo** e pare de pedir.

Você sentirá seu coração mais leve e sua alma mais doce. Você se sentirá em paz.

27 DE DEZEMBRO

VOCÊ TEM DIFICULDADE DE MANTER A PALAVRA OU COMPROMISSO ASSUMIDO?

Por exemplo, quando inicia um novo ano você promete parar de fumar, assume a responsabilidade de ser mais calmo, trabalhar menos, dar mais atenção à família, mas não cumpre?

No passado você pode ter transformado suas promessas ou compromissos em algo extremamente complexo.

A diferença não está nas tarefas, mas sim na maneira como você as enxerga.

Mudando a sua avaliação sobre o que promete, automaticamente você mudará a sua vida.

Quais são as promessas ou compromissos que você vai assumir para o ano que vem?

Sinta cada uma dessas promessas ou compromissos e os olhe de maneira diferente e simples.

28 DE DEZEMBRO

RECOMEÇAR...

É ter a coragem de começar de novo.
É ter coragem de eliminar o que não vale a pena, reconhecer e aprender com os erros e ir em frente.
É reunir forças que imaginava não possuir e construir uma nova casa no lugar da velha.
Para poder recomeçar, é preciso ter no coração a convicção de o que tudo que é bom também deve ser refeito e reinventado.
Tomar posse dos seus valores, das suas crenças, ser leal às suas verdades, do que norteia a sua vida para abrir portas de liberdade, janelas de confiança, assentadas sobre tijolos de verdade e justiça.
Para recomeçar é necessário que nunca acabe o **amor**.

29 DE DEZEMBRO

TUDO O QUE ACONTECEU DE BOM

Muitas vezes mantemos o foco apenas nos grandes feitos da vida e não percebemos quantas pequenas conquistas a preencheram e nos fizeram felizes.
Quantas pessoas novas e interessantes você conheceu? Quantas vezes curtiu uma nova conquista do seu filho?
Em vez de se esforçar para fazer uma enorme lista agora, proponho o seguinte: a partir de hoje, adquira o hábito de anotar em papéis, ou numa agenda, frases que descrevam os milagres do seu dia. Guarde-os e leia ao final de cada mês. Leia ao final o ano e veja quanta coisa boa preencheu sua vida.

30 DE DEZEMBRO

SOMOS OS NOSSOS SONHOS

O que efetivamente estamos fazendo para o nosso processo evolutivo, ou seja, por todas as áreas da nossa vida? Por exemplo: o que você fez para sua vida financeira? Para o seu relacionamento familiar? Você cuidou da sua saúde? Cuidou da sua espiritualidade?

Com sua sabedoria, a Mãe Terra tem muito a nos ensinar sobre esse processo.

Você planta um grão de feijão, rega, cuida e nasce um pé de feijão. Quando vai colher a vagem, colhe só um grão de feijão ou vários? Planta um grão de milho e, quando vai colher, colhe só um grão de milho ou uma espiga cheia de milho?

Neste ano, o que você plantou?

31 DE DEZEMBRO

PARA CONSTRUIR UM NOVO MUNDO

O que você prometeu para si mesmo quando o ano começou?
Onde está todo aquele amor, toda aquela compaixão, toda aquela paz que sentia no início do ano?
Desejo que você seja capaz de se conscientizar do que realmente é. Ou seja, em essência, você é **amor**, é **compaixão**, é **paz**.
Faça de cada dia o melhor da sua vida e, ao construir um "novo eu", construirá um novo mundo, pois você é responsável por si mesmo e, consequentemente, pelos outros e pelo mundo.

SOBRE O AUTOR

Harry Tadashi Kadomoto é Terapeuta transpessoal e professor convidado do curso de pós-graduação em Teorias e Técnicas para Cuidados Integrativos da Unifesp. Autor dos livros *Ninguém tropeça em montanha*, *Da razão ao coração* (volumes 1 e 2) e *O mestre do impossível - mude suas crenças e conquiste o seu futuro*. Ministra cursos e workshops em todo o Brasil, além de prestar consultorias individuais e para empresas.

Procure-nos nas redes sociais, Facebook, YouTube e Instagram, pelo **@itktreinamentos**.
Acesse nosso site **www.tadashi.com.br**.
Entre em contato pelo e-mail **itk@tadashi.com.br**.